KT-487-330

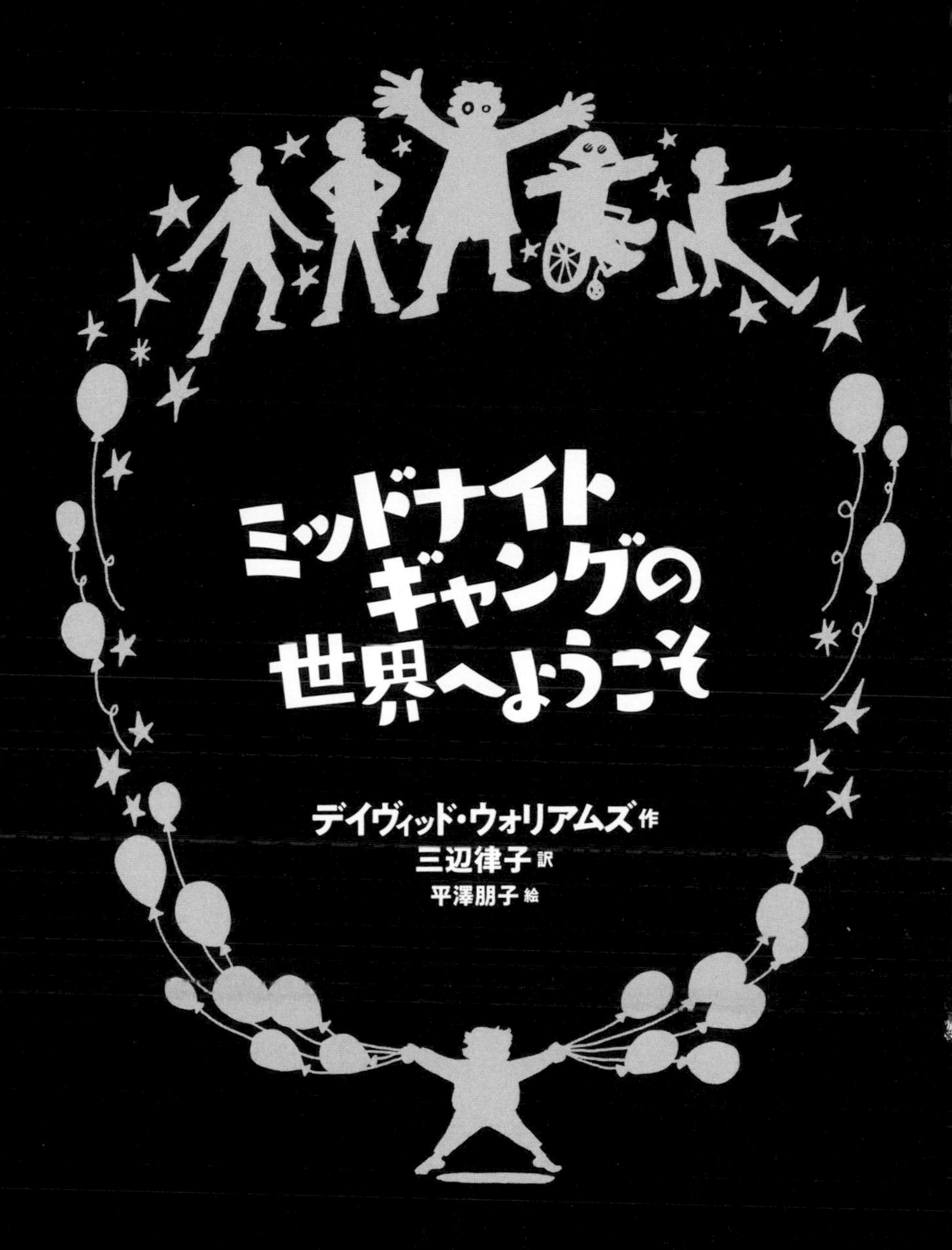

ミッドナイトギャングの世界へようこそ

デイヴィッド・ウォリアムズ 作
三辺律子 訳
平澤朋子 絵

小学館

ミッドナイト・ギャングの
世界へようこそ

もくじ

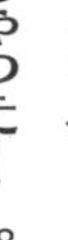

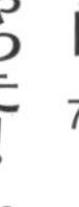

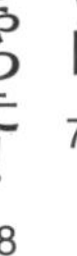

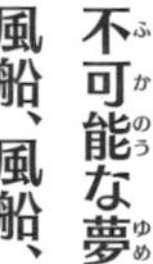

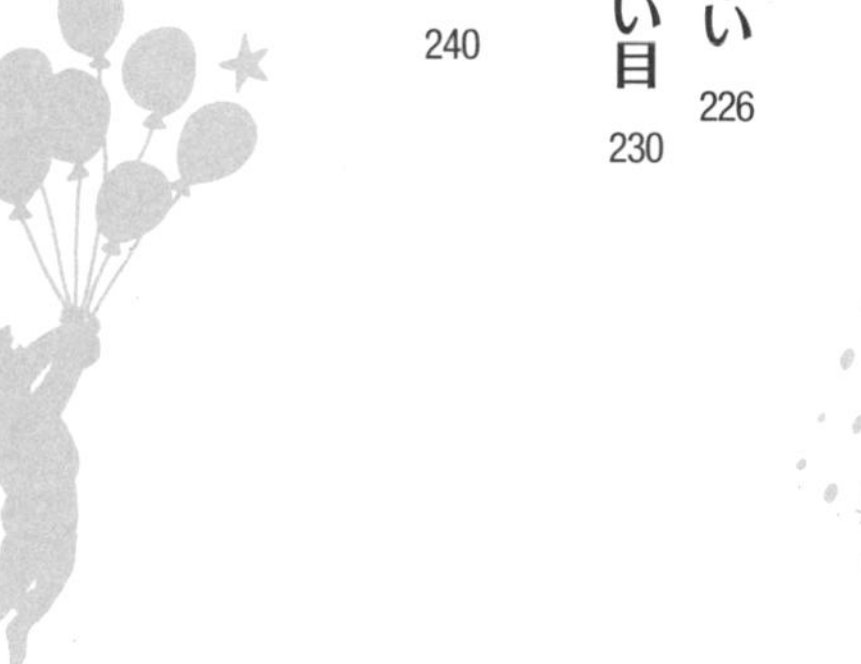

これは、ロード・ファント病院。イギリスの首都ロンドンにあるんだ。建てられたのは、ものすごいむかしで、本当だったら、ものすごいむかしにとりこわされているはずだ。病院の名は、設立者の故ファント卿にちなんだもの。

ロード・ファント病院の中をのぞいてみよう。

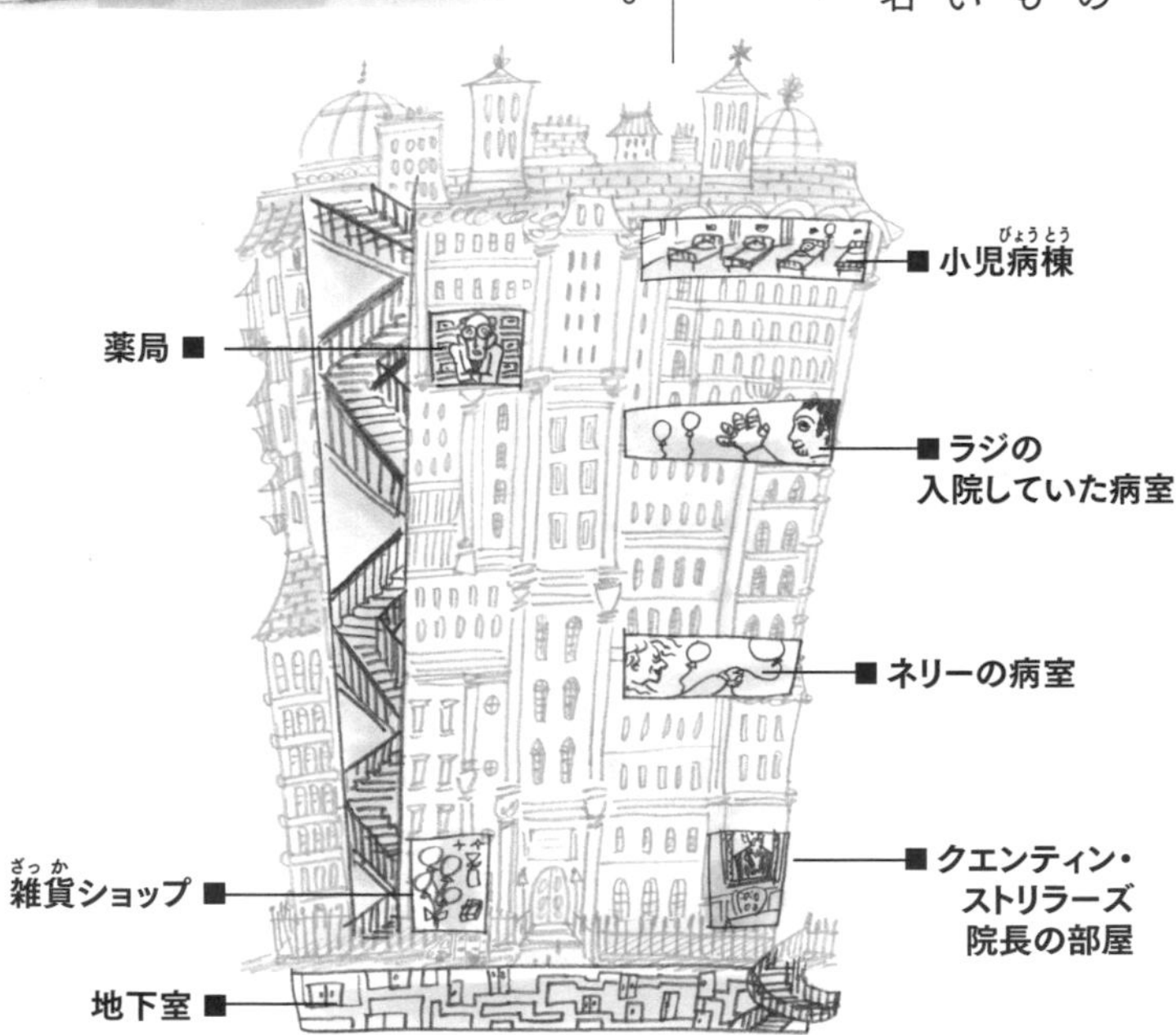

小児病棟に入院している子どもたちだよ。
小児病棟は、病院の四十四階にあるんだ。

この子がトム。
十二歳で、お金持ちの子がいく
寄宿学校に入っている。
頭にけがをしたんだ。

ロビンも十二歳。
視力を回復するための
手術をしたところ。
だから、今は目が見えないんだ。

アンバーもやっぱり十二歳。
両腕と両脚の骨を
折っちゃったから、
しばらく
車いす生活をしてる。

ジョージは十一歳。
ロンドンのイーストエンド
出身だから、
コクニーっていう
下町なまりで
しゃべるんだよ。
手術で扁桃腺を
とったんだ。

サリーはまだ十歳で、
この中で
いちばん小さい。
具合がとても悪いから、
ほとんどの時間を
眠って過ごしているんだ。

下の階の大人用病棟で、
いちばん年とってる
患者さんのネリー。
九十九歳なんだ。

ロード・ファント病院では何百人っていう人たちが働いている。

例えば

用務係。
天涯孤独で、
本名は謎につつまれている。
患者さんや物を運んで
病院のあちこちを
回っているけど、
病院の外に出たことは
ないみたい。

看護師長。
小児病棟の責任者のくせに、
子どもが大きらいなんだ。

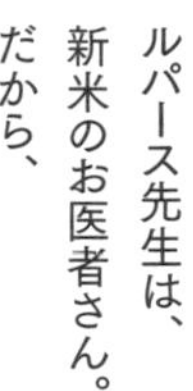

ルパース先生は、
新米のお医者さん。
だから、
簡単に
だませちゃうんだよね。

トッツィは、
病院の配膳係。
病院じゅうの
患者さんに、
ワゴンで食事を
配ってくれるんだ。

ディリーは、
何人かいる
病院のそうじ係の
一人なんだけど、
ディリーが
そうじしたところは
すぐわかる。
タバコの灰が
落ちてるからね。

ミース看護師は
いつもつかれた顔をしてる。
どうやら夜もずっと
働いているらしい。

コッドさんは
年よりの薬剤師で、
補聴器と
ぶあついメガネが
手放せない。
病院内の
薬局の責任者だ。

クエンティン・ストリラーズ卿は、
上流階級出身の病院長で、
病院じゅうの
人と物をとり仕切ってる。

病院の関係者以外では、
シューズ校長。
トムの通っている
聖ウィレット男子寄宿学校の
校長なんだ。

真夜中っていうのは、
子どもはみんなぐっすり眠っている時間。
だけど、もちろん、ミッドナイトギャングは別！
ミッドナイトギャングの冒険は、真夜中にはじまるんだから！

1 モンスター男

「**うわあああああああああああああああああ！**」

男の子の悲鳴がひびいた。

今まで見たこともないくらいおそろしいモンスターが、男の子を見下ろしていたからだ。

顔は人間の顔だけど、右と左のバランスがヘンだ。片方はふつうよりも大きくて、もう片方はふつうより小さい。モンスターはどうか落ち着いてというようにニッと笑った。でも、かえって欠けてぼろぼろになった歯がむきだしになって、こわかった。

「**うぎゃあああああああああああああああああ！**」

男の子はまたさけんだ。

「だいじょうぶですよ、坊ちゃん。どうか落ち着いて」

男はろれつの回らない舌で言った。顔もゆがんでてヘンだけど、しゃべり方もヘンだ。

この人はだれで、ぼくをどこへ連れていくつもりなんだろう？

そのときになって初めて、男の子は自分がまっすぐ天井を見る状態でねかされていることとに気づいた。まるでふわふわうかんでいるみたいだ。だけど、なにかがガタガタゆれている。いや、ゆれてるのはぼくだ！　それで、自分が台車の上に横たわっていることに気づいた。車輪がぐらぐらしてる台車に。

男の子の頭の中にむくむくと疑問がわいてきた。

ここはどこ？

どうやってここにきたんだ？

どうしてなにも思い出せないんだ？

そして、なによりも重大な疑問。このおそろしいモンスター男はだれだ？

台車は長いろうかをゆっくりと進んでいく。床からなにかをひきずっているような音が聞こえる。くつがキュッキュッとこすれるような音だ。

1
モンスター男

男の子は下を見た。男は片足をひきずっていた。顔と同じで、男の体も片側よりも小さい。そのせいで、一回り細いほうの脚（あし）をひきずっているのだ。一つ一つの動作にいちいちいたみを感じるみたいだった。

バーン！

背（せ）の高い両開きドアが勢（いきお）いよく開き、台車はガタガタと中へ入っていって、止まった。そして、まわりをかこむようにシャッシャッとカーテンらしきものがひかれた。

「おつらくなかったといいんですが」

男は言った。ぼくに敬語（けいご）を使うなんてなんでだ？　と男の子は思った。これまでこんなふうに話しかけられたことはない。まだたった十二歳（さい）なのだ。ふだん、こんな敬語（けいご）を使われるのは、男の子のいっている寄宿（きしゅく）学校の先生たちくらいだ。

「では、しばらくここでおまちください。わたしはただの用務係（ようむがかり）なんです。看護師（かんごし）を呼んできますから。看護師（かんごし）さん！」

男の子は横たわったまま、自分の体から切りはなされたような妙（みょう）な感覚を味わっていた。体がだるい。感覚がない。

でも、頭のいたみは感じた。ズキズキしている。それに、熱を持ってる。感覚に色があったら、赤って感じだ。それも、めちゃめちゃあざやかな、燃えるような激しい赤。

いたみが強烈で思わず目を閉じた。

ふたたび目を開くと、真上にこうこうと光る蛍光灯があることに気づいた。そのせいでよけい頭がズキズキする。

すると、足音が聞こえた。近づいてくる。

カーテンがシャッと開いた。

青と白の制服にぼうしをかぶった大柄の女の人が身を乗りだすようにして、男の子の頭をしげしげと見た。けっこうな歳で、血走った目のまわりには、黒いクマができている。ごわごわした白髪が頭にでんといすわり、顔は、赤むけているように見える。チーズをけずるおろし器かなんかでこすったのかってくらい。ま、簡単に言えば、一週間ねていなくて、そのせいできげんを悪くしている人みたいに見えた。

「あら、まあ！　あらまあ、あらまあ、まあまあまあ……」

女の人は、だれにともなくぶつぶつとつぶやいた。

男の子はすっかり頭が混乱していたので、しばらくしてからようやく、女の人が着ているのは看護師さんの制服だと気づいた。

それでやっと、自分がどこにいるのかわかった。病院だ。これまで病院にきたことは一

1
モンスター男

度もない。生まれたときは別だけど。でも、そのときのことなんて、もちろんなにも覚えちゃいない。

男の子がふっと上のほうを見ると、女の人の名札が視界に入った。

〈ロード・ファント病院　ミース看護師〉

「こぶだね、大きなこぶだ。ものすごく大きなこぶだよ。さてと、これはいたいかね？」

ミース看護師は、男の子の頭を指でぐいとつついた。

「いった――――い！」

男の子の悲鳴が、ろうかまでひびきわたった。

「ごくわずかないたみ、と」看護師はぼそぼそと言った。「さてと、ドクターを呼んでこようかね。先生！」

カーテンがシャッと大きく開けられ、また閉まった。

男の子が横になったまま天井を見つめていると、足音が遠のいていった。

「先生！」

看護師はまた大きな声でどなった。ろうかの先のほうから聞こえる。

「今いく！」遠くから返事が聞こえた。

「早くしてください！」看護師がさけぶ。

「すみません！」

そして、足音が猛スピードで近づいてきた。

カーテンがシャッと開いた。

あごのとんがった若い男の人が、長い白衣をなびかせて飛びこんできた。

「おや、おや、おや」

いかにもお坊ちゃんふうの声がした。お医者さんだ。走らなければならなかったせいで、いくぶん息を切らしている。男の子はそちらを見上げて、名札の文字を読んだ。〈ルパース医師〉。

「大きなこぶだね。こうすると、いたむかな？」

ルパース先生は胸のポケットからえんぴつをとりだした。そして、先っぽを持つと、それで男の子の頭をポンとたたいた。

「うわあああああああああ！」

男の子はまた悲鳴をあげた。ふしくれだった指でつつかれるよりはましだったけど、いたいことには変わりなかった。

「ごめん、ごめん、ごめん！　上の人には言わないでくれ。ぼくは卒業して医者になったばかりなんだよ」

1
モンスター男

「言いません」男の子はぼそりと言った。

「本当に？」

「本当です！」

「ありがとう。じゃあ、入院にごく簡単な書類が必要でね、書かないとならないんだ。石橋はわたってからたたけって言うからね」

ルパース先生は丸めてあった書類を広げにかかった。ぜんぶうめるのに一週間くらいかかりそうだ。男の子はため息をついた。

「さてと、きみ」

ルパース先生は歌うような調子で言った。たいくつな仕事を少しでも楽しくしようってことらしい。

「名前は？」

とたんに、男の子の頭は真っ白になった。これまで自分の名前を忘れたことなんてない。

「えっと、名前だよ？」ルパース先生はもう一度きいた。

けれども、どんなにがんばっても、男の子は思い出せなかった。そして、しどろもどろになって言った。

「わ、わかりません」

2 あっちこっち

ルパース先生の顔にみるみるうろたえた表情がうかんだ。

「こまった！　ぜんぶで一九二も質問があるのに、一問目でもう、つっかかるなんて」

「ごめんなさい」

男の子はあやまった。病院のストレッチャーに横たわった男の子のほおを、涙が一粒転がり落ちる。これじゃ、できそこないだ、自分の名前も思い出せないなんて。

「たいへんだ！　泣いてるじゃないか！　泣かないでくれ。院長がきたら、ぼくが泣かせたと思うかもしれないじゃないか」

男の子は必死で涙をこらえようとした。ルパース先生はティッシュを出そうとしてポケットを探ったが、見つからなかったので、持っていた用紙で涙をふいた。

「たいへんだ！　用紙までぬれちゃった！」

ルパース先生はさけんだ。そして、ふうふうと息をふきかけて、かわかそうとしはじめたものだから、男の子は笑ってしまった。

2
あっちこっち

「ああ、よかったね！　笑顔になったね！　よしと、じゃあ、二人できみの名前をつきとめよう。きみの名前は『あ』ではじまる？」

男の子は、そうじゃないことは断言できた。

「ちがうと思います」

「『い』？」

男の子は首を横にふった。

「『う』？」

また横にふる。

「これじゃ、時間がかかっちゃうな」先生はぼそりと言った。

「『ト』！」男の子はさけんだ。

「ト？　戸を閉めてほしいのかい？」

「ちがいます。ぼくの名前です。『ト』ではじまるんです！」

ルパース先生はにっこり笑って、用紙のいちばん上にようやく一文字目を書いた。

「ぼくがあててみよう。トニー？　トーマス？　トマソ？　トン？　トリー？　トーマ？　トッティ？　いや、きみはトッティって感じじゃないな……わかった！　トシだ！」

機関銃のようにまくしたてられ、男の子は頭に雲がたれこめたみたいになって、ますます思い出せなくなった。けれども、やがて雲のあいだから、ついに自分の名前がさんぜんとかがやくように顔を出した。

「トムだ！」

「トムだよ！」

ルパース先生は、まるで今、そう言おうとしてたんだって感じで声をはりあげた。そして、二文字目を記入した。

「じゃあ、いつもなんて呼ばれてるんだい？　トーマス？　トミー？　デカトム？　チビトム？　おやゆびトムとか？」

「トムです」

トムはうんざりして言った。だから、名前はトムだって、言ったのに。

「名字は？」

「『チ』ではじまるはずです」

「ふむ、まあ少なくとも一文字目はわかったわけだ。まるでクロスワードパズルみたいだな！」

「思い出した、チャーパーだ！」

「トム・チャーパーか！」先生は用紙に書きこんだ。

2
あっちこっち

「これで、一問目が終わった。あとたった一九一問だ。さて、今日、ここへ連れてきてくれたのはだれだい？　お母さんとお父さんはきてる？」

「いいえ」

これだけはまちがいなかった。両親はきていない。お父さんとお母さんが、ここにいることはぜったいにない。二人はいつも、「ここ」じゃなくて「むこう」にいるから。数年前に、トムのお父さんとお母さんは一人息子を、イギリスの片田舎にある、名門の〈聖ウィレット男子寄宿学校〉に放りこんだのだ。

トムの父親は、はるか遠い砂漠の国々の石油をほりだす仕事でお金をたっぷりかせぎ、母親はそれを使うのが大のとくいだった。トムが両親に会うのは、学校が休みになるときだけで、会う場所も、毎回たいていちがう国だ。トムはたった一人で何時間もかけてそこまでいくのだけれど、にもかかわらず、父親は一日じゅう仕事が入っていたし、母親はトムをシッターにあずけて、もうたくさん持っているのに、さらにくつやバッグを買いに出かけてしまった。トムがいくと、いつも山のようなプレゼントが用意されていた。新しい鉄道セットや、飛行機のプラモデル、騎士のよろい。でも、いっしょに遊ぶ相手がいないので、すぐにあきてしまった。トムの願いはたった一つ、お母さんとお父さんと過ごすことだったけれど、両親は決していっしょにいる時間をプレゼントしてはくれなかった。

「いいえ、両親は外国にいます。今日、だれが病院に連れてきてくれたのかは、わかりません。先生だと思うけど」

「それだ！」ルパース先生は飛びつくように言った。

「もしかして体育の先生じゃないかい？　待合室に、クリケットの審判のかっこうをしている男の人がいたんだ。麦わらぼうしに丈の長い白の上着を着ていたから、ずいぶん変わってるなと思ったんだよ。だって、待合室では、クリケットの試合はあまりしないだろ？」

「ぼくの体育の先生にまちがいありません。カーシー先生です」

ルパース先生はさっと用紙に目をやった。またもやうろたえた表情がうかんでる。

「たいへんだ、この用紙には、『親』と『保護者』と『友人』と『その他』っていう項目しかない。どうすればいいんだ？」

「『その他』にしるしをつければいいですよ」トムは教えてあげた。こっちが大人みたいだ。

ルパース先生はほっとした顔になった。

「ありがとう！　いや、本当に助かったよ！　じゃあ、病院にきた理由は？」

「頭のこぶです」

「そうだ、そうだったね！」ルパース先生はすらすらと用紙に書きこんだ。

「よし、次の質問だ。ロード・ファント病院の印象はいかがでしたか？　『期待を下回った』

2
あっちこっち

『期待どおり』『期待を上回った』『期待をはるかに上回った』どれだい？」

「最初のはなんでしたっけ？」トムはたずねた。頭がいたくて、働かない。

「えーっ、『期待を下回った』だけど」

「なんの期待？」

「病院の印象」

「でも、まだ天井しか見てません」トムはため息をついた。

「じゃあ、天井の印象は？」

「ふつうですけど」

「なら、『期待どおり』ってことにしておくよ。次の質問だ。本日、当病院で受けた治療はどうでしたか？『よくなかった』『まあまあ』『よい』『とてもよい』それとも『よすぎる』とか？」

「悪くなかったです」トムは答えた。

「うーん、悪いけど、『悪くなかった』は選択肢にないんだ」

「なら、『よい』とか？」

「『とてもよい』じゃだめ？」

ルパース先生は、おねだりするような調子で言った。

「勤務一週目で『とてもよい』がもらえたと言えたらいいんだけどな」

　トムはため息をついた。

「じゃあ、『よすぎる』にしていいですよ」

「やった、ありがとう！」ルパース先生の目が喜びにおどった。

「『よすぎる』はまだだれももらったことがないんだ！　あ、でも、『よすぎる』っていうのは、よすぎて悪いって意味にもとれるんじゃないかって心配なんだよな。やっぱり『とてもよい』にしておいていい？」

「はい、なんでも好きなようにしてください」

「じゃあ、『とてもよい』で。本当に感謝するよ！　おかげで院長のクエンティン・ストリラーズ卿にも気に入られるよ。さあ、次の質問だ。急いでどんどんいかないとな。ご家族やご友人にロード・ファント病院を勧めますか？　『勧めない』『あまり勧めない』『勧めたい』『ぜひ勧めたい』」

　すると、いきなりミース看護師がカーテンのあいだからせかせかと入ってきた。

「先生のばかばかしい質問をやってるひまはないんですよ！」

　ルパース先生は、ぶたれるんじゃないかと思ったみたいにさっと顔を手でかばった。

「ぶたないで！」

2

あっちこっち

「なんです！　なにもしやしませんよ！」

そう言って、看護師はぶあつい大きな手でルパース先生の耳をバシッとなぐった。

「うわ！　けがしちゃうじゃないですか！」

「ちょうどいいじゃないの、ここは病院ですからね。ふっふっふ！」

ミース看護師はわれながらおかしかったのか、思わず笑みをうかべかけた。

「今すぐこの場所をあけてほしいんですよ！　救急車で新聞販売店のひとが運ばれてきたんです。どうしてか、自分の指をホチキスでとめちま

ったみたいでね。まぬけな人もいるもんですね！」

「たいへんだあ！　ぼくは血がだめなんです！」ルパース先生はさけんだ。

「あたしがもどる前にこの子をここから出しておいてくださいよ。じゃないと、反対の耳にも一発おみまいしますからね！」

そう言い残すと、ミース看護師は、シャッとカーテンを引いて、ダッダッダッと歩き去った。

「よしと。じゃあ、スピードアップさせてもらうよ」

ルパース先生はそう言って、ものすごい早口でしゃべりはじめた。

「ひどいはれ、と。数日、入院してもらうよ。念のためね。かまわない？」

トムはちっともかまわなかった。あの最低最悪の寄宿学校を休めるなら、なんだっていい。トムの学校は、イギリスでも一、二を争う学費の高い学校で、生徒たちは、超名門の家庭の子弟がほとんどだった。トムのうちは、お父さんが外国で働いてたくさんお金をもらっているからお金持ちだったけど、家自体は名門でもなんでもなかった。貴族だってことを鼻にかけて、トムをバカにする坊ちゃんはたくさんいた。

「今すぐきみを上の階にある小児病棟に送りとどけなきゃ。すごく静かでいいところだよ。きっとぐっすり眠れるはずだ。おーい、用務係さーん」

2

あっちこっち

トムは恐怖でこおりついた。さっきのおそろしい男が、足をひきずりながらまたやってきたのだ。

「はい、ルパース先生」

男はろれつの回らない舌で言った。

「ここにいる……ええと、ごめんごめんごめん……もう一度名前を教えてくれる？」

「トムです！」

「ここにいるトムくんを小児病棟まで連れていってくれ」

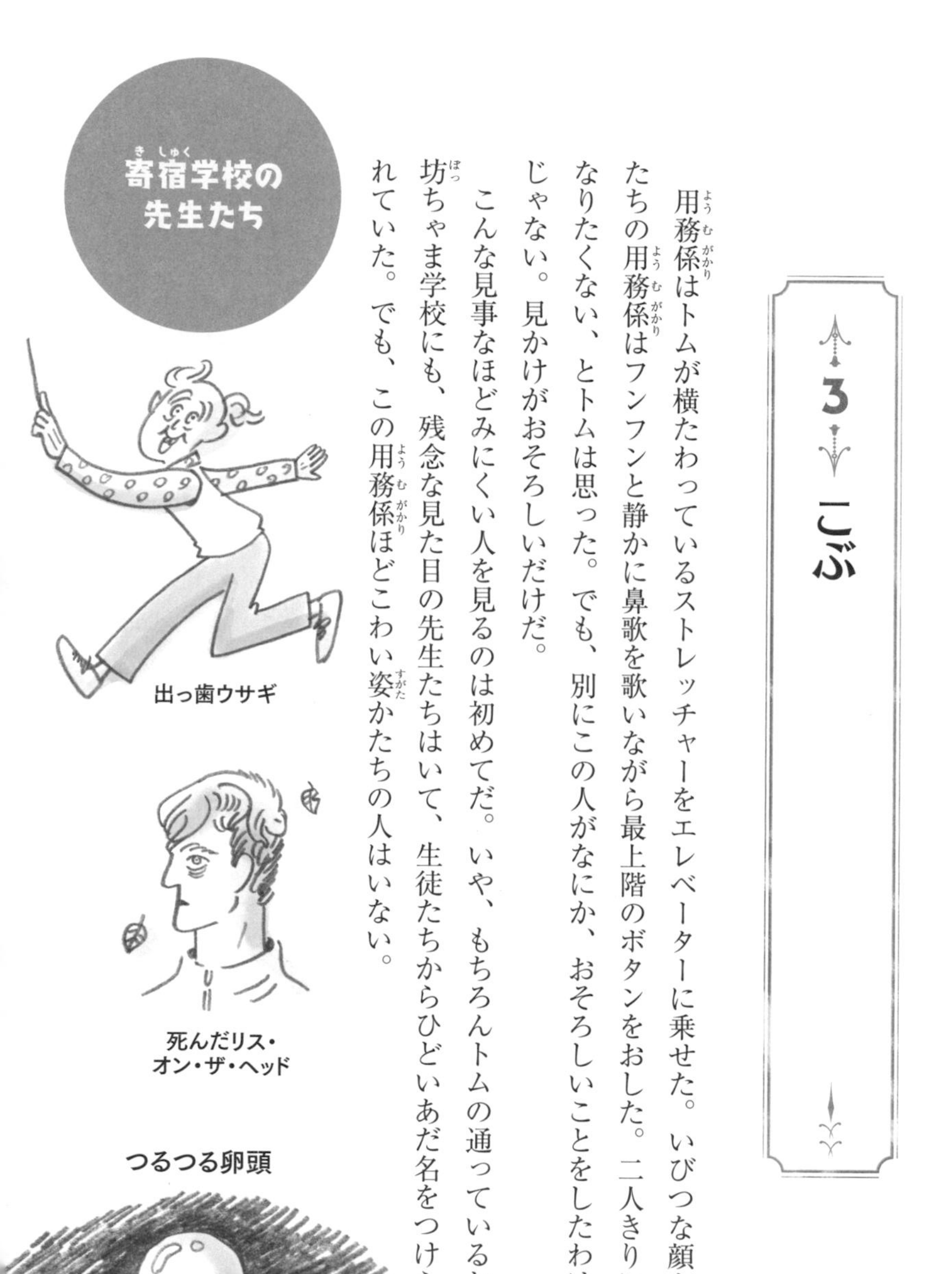

3 こぶ

用務係はトムが横たわっているストレッチャーをエレベーターに乗せた。いびつな顔かたちの用務係はフンフンと静かに鼻歌を歌いながら最上階のボタンをおした。二人きりになりたくない、とトムは思った。でも、別にこの人がなにか、おそろしいことをしたわけじゃない。見かけがおそろしいだけだ。

こんな見事なほどみにくい人を見るのは初めてだ。いや、もちろんトムの通っているお坊ちゃま学校にも、残念な見た目の先生たちはいて、生徒たちからひどいあだ名をつけられていた。でも、この用務係ほどこわい姿かたちの人はいない。

3
こぶ

グールグルメガネ

タコタコ博士

鼻フクロウ

ザ・原始人

ミスター・ピエロくつ

バーコード教授

チン！　エレベーターのドアが閉まった。

用務係がほほえみかけたけれど、トムは目をそらした。見ていられなかったのだ。笑うとますます不気味になる。虫歯だらけのぶかっこうな歯は、人間の骨だってかみくだけそうに見える。トムは用務係の名札にさっと目を走らせた。ところが、これまで見た看護師さんやお医者さんとちがって、名札には名前ではなく、職名だけが書かれていた。

〈用務係〉

エレベーターがガタガタとゆっくりのぼっていくにつれ、トムの頭はじょじょにはっきりしてきた。いろいろな出来事が少しずつつながって、なぜここにくることになったかを思い出したのだ。

猛暑の中、学校のグラウンドでクリケットをやっていたのだ。トムは頭をわずかに持ちあげて、体のほうを見てみた。あんのじょう、まだクリケットの白い運動着を着ている。

トムの学校は、クリケットとラグビーでつねに上位にくる強豪校だったけれど、トム自身は、スポーツはとくいではなかった。スポーツで成果をあげた生徒は、朝礼で校長からカップやトロフィーやメダルやお祝いの言葉をもらう。トムみたいに、図書室のほこりっぽい古い本のあるすみっこにかくれているほうが好きな生徒は、自分なんていたってしょうがないという気持ちになりがちだった。

学校ではみじめな日々を送っていたので、時が早く流れることだけを願っていた。毎日

3
こぶ

がもっと早くすぎればなあと、トムはしょっちゅう考えた。まだ十二歳だったけど、子どもの時代と永遠におさらばできる日を心まちにしていたのだ。大人になれば、もう学校へいかなくていいのだから。

学校では夏にクリケットをしたけれど、トムはすぐに、やる気のないプレイヤーにいちばんいいポジションを発見した。守備だ。トムはつねに、グラウンドのいちばんはしっこのポジションにつくようにした。そこにいればお気に入りの趣味にひたることができる――白昼夢に。こんな遠くの外れにいれば重たい赤い革のボールが自分のほうに飛んでくる可能性もほとんどない。

と、トムは思っていた。

が、今回ばかりはまちがいだった。

それも、大きなまちがい。

エレベーターの階を示す数字がパッパッと切りかわっていくのをながめているうちに、頭の中でパッと記憶がひらめいた。

重たい赤い革のボールがおそろしいスピードでまっすぐこっちへ飛んでくる。

ガツン。

そして、目の前が真っ暗になった。

チン！

「坊ちゃん、つきました！　最上階です！　ロード・ファント病院の小児病棟ですよ！」

用務係がろれつの回らない舌で言った。

エレベーターのドアが開くと、用務係はストレッチャーをおろし、またもや長いろうかをおして歩きはじめた。そして、背の高い両開きのドアを勢いよく開けた。

バーン！

そこが小児病棟だった。

「坊ちゃんの新しい住まいですよ」

4 小児病棟

トムははれあがった頭を少し持ちあげて、新しい住まいになるロード・ファント病院の小児病棟をながめた。ここにはほかに四人の子どもがいた。四人とも、体を起こしているにしろ横たわっているにしろ、ベッドにいて、みんなだまりこくっている。新しく入ってきた子には、特に関心もないようだ。どんよりとよどんだ空気には、くたびれたムードがただよい、小児病棟というよりは老人ホームみたいだった。

いちばん近いベッドには、ぽっちゃりした男の子がすわっていた。着古した水玉のパジャマはどう見ても小さすぎる。ぼろぼろになったヘリコプターの絵本をめくりながら、シーツの下にかくしてあるチョコレートをこっそりほおばっていた。ベッドの上の黒板にチョークで〈ジョージ〉と名前が書いてある。

そのとなりには、背の低いやせた男の子がねていた。赤い髪にきっちり分け目がつけてある。目の手術をしたらしくほうたいがまかれていたが、あれだけしっかりまかれていたら、なにも見えないだろう。まくら元のつくえにはCDプレイヤーとうずたかく積まれた

CDがおいてある。パジャマは、ジョージのよりはおしゃれで、いちばん上のボタンまできっちりとめられていた。ベッドの上の名前は、**〈ロビン〉**だ。

ロビンのむかいのベッドにいるのは、黒いおかっぱ頭に丸メガネをかけた女の子だった。信じられないことに、両腕両脚(りょううでりょうあし)がギプスで固定され、なにやら複雑(ふくざつ)な滑車(かっしゃ)とまき上げ機の装置(そうち)でつり下げられている。まるであやつり人形だ。黒板には**〈アンバー〉**とあった。

そして、いちばんおくの、ほかの子どもたちからはなれたすみっこに、見るもいたましいようすの子がねていた。女の子だけれど、年齢(ねんれい)はよくわからない。病気のせいですっかり弱っている。髪(かみ)も、頭のてっぺ

4
小児病棟

んにわずかに残っているだけだ。ベッドの上には、〈サリー〉と書いてあった。

「坊ちゃん、みんなにあいさつをしたらどうかな?」用務係が言った。

　トムははずかしかったけれど、ぎりぎり聞こえるような声で「はじめまして」と言った。もう一度言ってごらん、などと言われたくなかったからだ。

　すると、子どもたちもぼそぼそと「はじめまして」と返事をしたけれど、サリーだけはなにも言わなかった。

「たぶんあれが坊ちゃんのベッドですね」

　用務係は聞きとりにくい声でそう言うと、そちらへストレッチャーをおしていった。そして、なれた手つきでトムをストレッチャーからベッドに移した。

「具合の悪いところはありませんか?」用務係はまくらをポンポンと膨らませながらたずねた。

トムは答えなかった。具合の悪いところだらけだったからだ。レンガをまくらにしてコンクリートの上にねているみたい。これじゃ、ストレッチャーのほうがましなくらいだ。でも、聞こえないふりをするわけにもいかない。用務係はすぐ横に立ってるんだから。すぐ横どころか、においがかげるくらい近い。でも、それをいうなら、この病室の全員がこのにおいに気づいてるにちがいない。しばらくお風呂に入ってないみたいなにおいだ。服はくたびれてぼろぼろだし、くつはばらばらになりかかっていて、作業着には油だかすすだかがこびりついている。ホームレスの人みたいだ。

すると、声がひびいた。

「さてと、その子が世界一のヘボクリケット選手だね？」

とたんに子どもたちはビクッとして、体をふるわせた。

病室のいちばんおくにある部屋から、背の高いやせた女の人が姿をあらわした。この病棟を仕切っている看護師長だ。看護師長はベッドのあいだをゆっくりとした足どりでこちらへむかって歩いてきた。ハイヒールのかかとが床にあたる音が、カツンカツンとひびく。

遠くからだと、きれいな女の人に見えた。長い金髪はきっちりとスプレーで固められ、ぱっちりメイクした顔はつやつやしているし、歯はかがやくばかりの白さだ。ところが、近くまできたとたん、トムはすぐに笑顔はにせものだと気づいた。目は黒くよどんだ大きな水たまりのようで、中の闇をのぞきこめそうだ。看護師長が通りすぎると、甘ったるい香水の香りが子どもたちののどを焼いた。

「クリケットのボールを受け止めないで、ヘディングしちまったんだって⁉　まったくとんだまぬけだね！　ハッハッハッ！」

看護師長以外は、だれも笑わなかった。少なくともトムにとってはおもしろくもなんともない。まだ頭がズキズキしてるんだから。

「そのせいでひどいこぶができてしまってるんです」

用務係があいかわらず聞きとりにくいしゃべり方で説明した。声がちょっと上ずっている。看護師長を前にして緊張しているみたいだ。

「明日の朝いちばんで、レントゲンをとったほうがいいのではないかと思います」

「おまえの意見など聞いてないよ！」

看護師長はぴしゃりと言い放った。さっき一瞬でもきれいだと思ったのがうそのように、たちまち顔がゆがんで、おそろしい形相になる。

「いやしい用務係のくせに。おまえのような底辺の底辺の人間に、患者の治療のことなどわかるものか。今後一切、よけいな口をきくんじゃないよ！」

用務係はうなだれ、子どもたちは不安そうに顔を見合わせた。みんなが看護師長をおそれていることは、明らかだった。

看護師長は手をふって用務係を追いはらった。用務係はよろめきかけたが、なんとかバランスをとりもどした。

「こぶを見せな」看護師長は上からトムをのぞきこんだ。

「ふうん、たしかにひどいこぶだね。明日の朝いちばんにレントゲンをとったほうがいい」

用務係はトムにむかって「ほらね」という顔をしてみせたけど、今度もまたトムは反応できなかった。

ろくに用務係のほうを見もせずに、看護師長は言った。

「用務係、もういっていいよ。あたしの病棟をひどいにおいにする前にね！」

用務係はため息をつくと、子どもたちにむかって一瞬笑みをうかべて、うなずいた。

「早くおし！」

看護師長がどなると、用務係は短いほうの足をひきずりながらせいいっぱい早く病室を出ていった。

トムは学校にもどりたくなってきた。

ぼくはとんでもないところにきてしまったのかもしれない。

5 ピンクのフリフリのネグリジェ

看護師長は、完璧に準備してあったらしいスピーチをはじめた。新しい入院患者がくるたびに、しているのにちがいない。

「さて、ここ、あたしの、あたしの病棟では、あたしのルールを守っていただきます。消灯は八時きっかり。消灯後は一切私語は禁止。ふとんの下で本を読むのも、甘いものを食べるのもゆるしません。暗闇の中でおかしの包み紙の音が聞こえたら、すぐその場でぼっしゅう。あんたもだよ、ジョージ！」

ぽっちゃりした男の子はすぐさま口をもぐもぐさせるのをやめて、まさに今チョコレートを食べていたのがばれないように、きゅっとくちびるをむすんだ。

看護師長は猛スピードでルールを並べていった。一言一言が、むちの鳴る音みたいだ。

「ベッドから出ないこと。夜中にトイレにはいかないこと。そのために、おまるがあるんだよ。おまるはベッドの下。まくら元のかべに呼びだしベルがついているが、緊急時以外は決して鳴らさないこと。わかったかい⁉」

「はい」

トムは答えた。まだなにもしていないうちから、小言を言われてるみたいだ。

「さて、パジャマは持ってきたかい？」

「いいえ。クリケットのグラウンドで意識を失って、すぐさま救急車で運びこまれたんだと思います。荷物を作る時間はなかったから、きたときに着ていたこのクリケットの運動着しかありません。これでねるから、だいじょうぶです」

看護師長はゾッとしたようにくちびるをめくりあげた。

「なんて不潔な子なんだろうね！　それじゃ、あの汚ならしさの見本のような用務係と同じじゃないか。あの男は、まさに服のまま眠っているようなにおいがするからね。ハッハッ！　親に電話して、パジャマを持ってくるようにたのめないのかい？」

トムは悲しげに首を横にふった。

「なぜだい？」

「お母さんとお父さんは外国に住んでいるんです」

「どこだね？」

トムは一瞬、ためらってから答えた。

「よくわかりません」

5
ピンクのフリフリのネグリジェ

「よくわかりません!?」

看護師長はみんなに聞こえるような大声で言った。新入りを徹底的にいびりたおして、みんなで楽しもうというこんたんらしい。

「お父さんの仕事の関係でしょっちゅうあちこちいってるから。砂漠のある場所だっていうのは、わかってるんですけど」

「砂漠ね、ずいぶんとしぼりこめたよ」看護師長はいやみたっぷりに言った。

「自分の親が住んでる国も知らないなんてね！　まあ、ここにぴったりだろうよ。ここのがきどもの親は、ああだこうだ理由をつけて、だれもみまいにきやしないからね。アンバーの親みたいに貧乏で、ここまでくる金がないか、ロビンの親みたいに病気か、サリーの親みたいにはるか遠くに住んでるか。だけど、ジョージの親の理由がいちばん傑作だね。自分で説明したいかい、ジョージ？」

「したくねェ」

ジョージはぼそりと言った。それが、ロンドンの下町なまりだったので、トムはびっくりした。トムのお坊ちゃま校には、そんなしゃべり方をする子はいなかったからだ。かわいそうなジョージは、ひどく決まり悪そうに言いかけた。

「言わないで――」

「ジョージの父親は刑務所に入ってるんだよ！　ぬすみの罪でね！　だから、この病棟でなにかなくなったら、だれのせいかすぐわかるってもんだよ！　その親にしてこの子ありってね！　ハッハッハッ！」

「オレはどろぼうじゃねェ！」ジョージがさけんだ。

「そうカッカするんじゃないよ。ただのじょうだんなんだから！」

「ちっともおもしろくねェや！」

「おやおや、いたいところをついちまったみたいだね！」

看護師長はからかうように言った。それから、トムにむかって言った。

「そうだ、いい考えがあるよ。落とし物箱からおまえさんが着られるものを探してやろう」

そして、目をキラリとさせると、くるりとむきを変え、看護師長室にもどっていった。

しばらくするとまた出てきたが、両手を背中に回し、顔にいかにもあやしげな笑みをうかべている。

「心の底から残念なんだがね、トム。おまえさんにぴったりのパジャマがないんだよ。だから、これでがまんしてもらわないとね！」

看護師長は、ジャーンとばかりにピンクのフリフリのネグリジェを出してみせた。いやらしい笑みが、ますますいやらしくなる。

5

ピンクのフリフリのネグリジェ

トムは、恐怖でこおりついてピンクのフリフリのネグリジェを見つめた。寄宿学校の子たちにこれを着たことを知られたら最後、一生汚名をそそぐことはできないだろう。それどころか、一生〈**ピンクのフリフリのネグリジェ男子**〉と呼ばれ続けるにちがいない。

「どうか看護師長さん、お願いですから、クリケットの服のままでねかせてください」

トムは必死になって言った。

「だめだと言ったろう！」

「パジャマなら、オレが貸せるよ」ジョージが言った。

間髪入れずに、看護師長は言った。

「バカなことを言うんじゃないよ！　自分のサイズがわかってんのかい⁉　でかすぎるに決まってるだろう！　おまえのパジャマじゃあ、ゾウにだって大きすぎるよ！　ハッハッハッ！」

今度もまた、看護師長以外だれも笑わなかった。

「さあ、今すぐこれを着るんだ。着ないと、院長に言いつけるよ。クエンティン・ストリラーズ卿にね。院長は、おまえみたいなこぞうのことを快く思っていないんだ。病院から放りだすかもしれないよ！」

そう言うやいなや、看護師長はシャッ、シャッとベッドのまわりのカーテンを閉め、トムがなんとか自力で服をぬいでネグリジェを着るまで、そこから一歩も動かなかった。

「早くしな！」

「もう少しです！」トムはさけんで、ネグリジェを頭からかぶった。

「もうだいじょうぶです！」

でも、ちっともだいじょうぶな気分ではなかった。

すると、看護師長はまたシャッシャッとカーテンを開けた。

そこには、かがやかしいピンクのフリフリのネグリジェ姿の、ピンクのフリフリのネグリジェ男子が立っていた。

「あンれ！　似合うじゃんか！」ジョージが言った。

「あーあ、ぼくも見られたらな」ロビンがつぶやく。

「残念！」アンバーが言った。

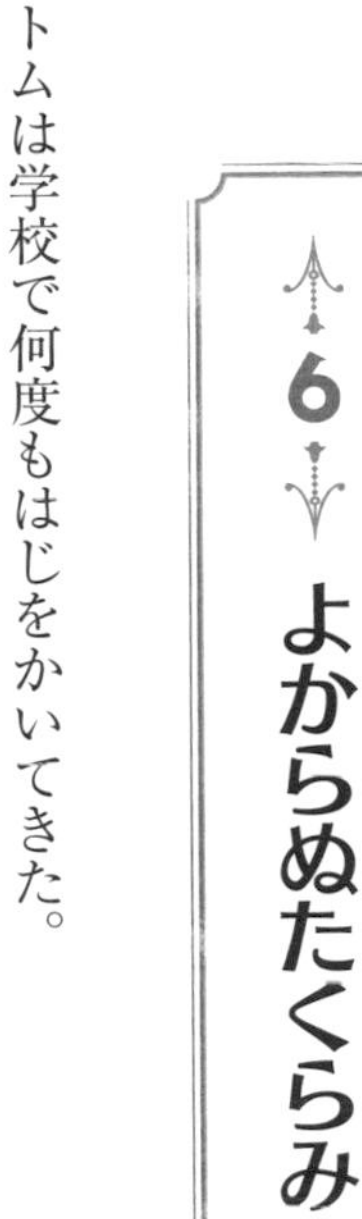

6 よからぬたくらみ

トムは学校で何度もはじをかいてきた。

例えば——

体育のときに、ズボンがさけたり、

陶芸の授業で、ろくろから粘土が
ぽーんとすっ飛んで、先生の顔を直撃したり、

図書室の床に落ちている本を拾おうとした
ひょうしに、ブッとやってしまったり、

トイレットペーパーをひきずったまま、トイレから出てしまったり、

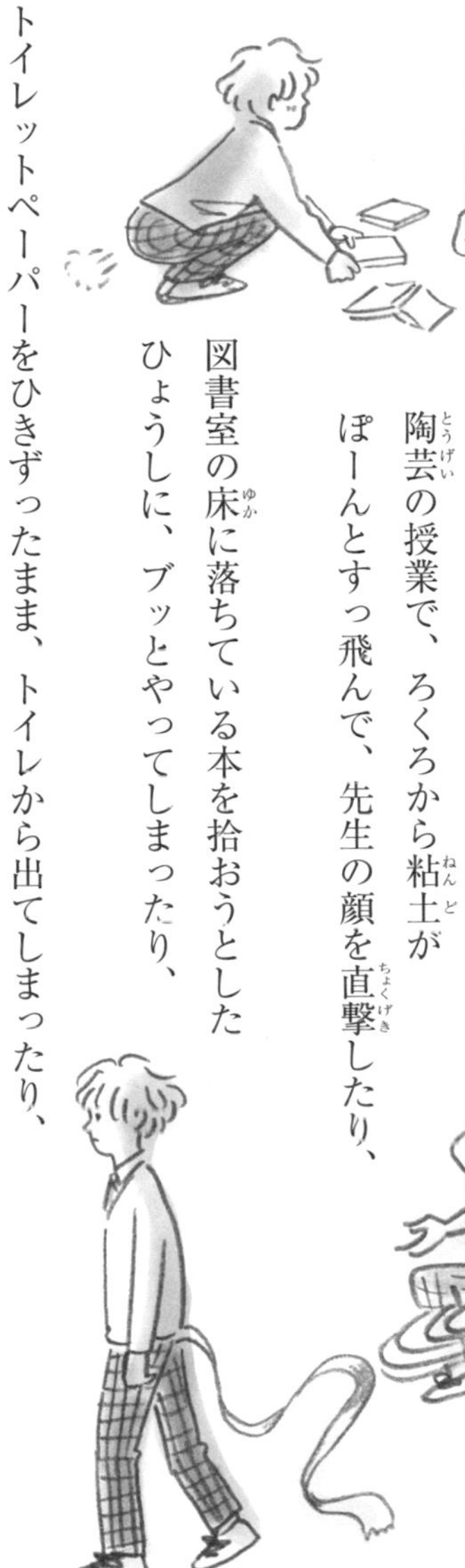

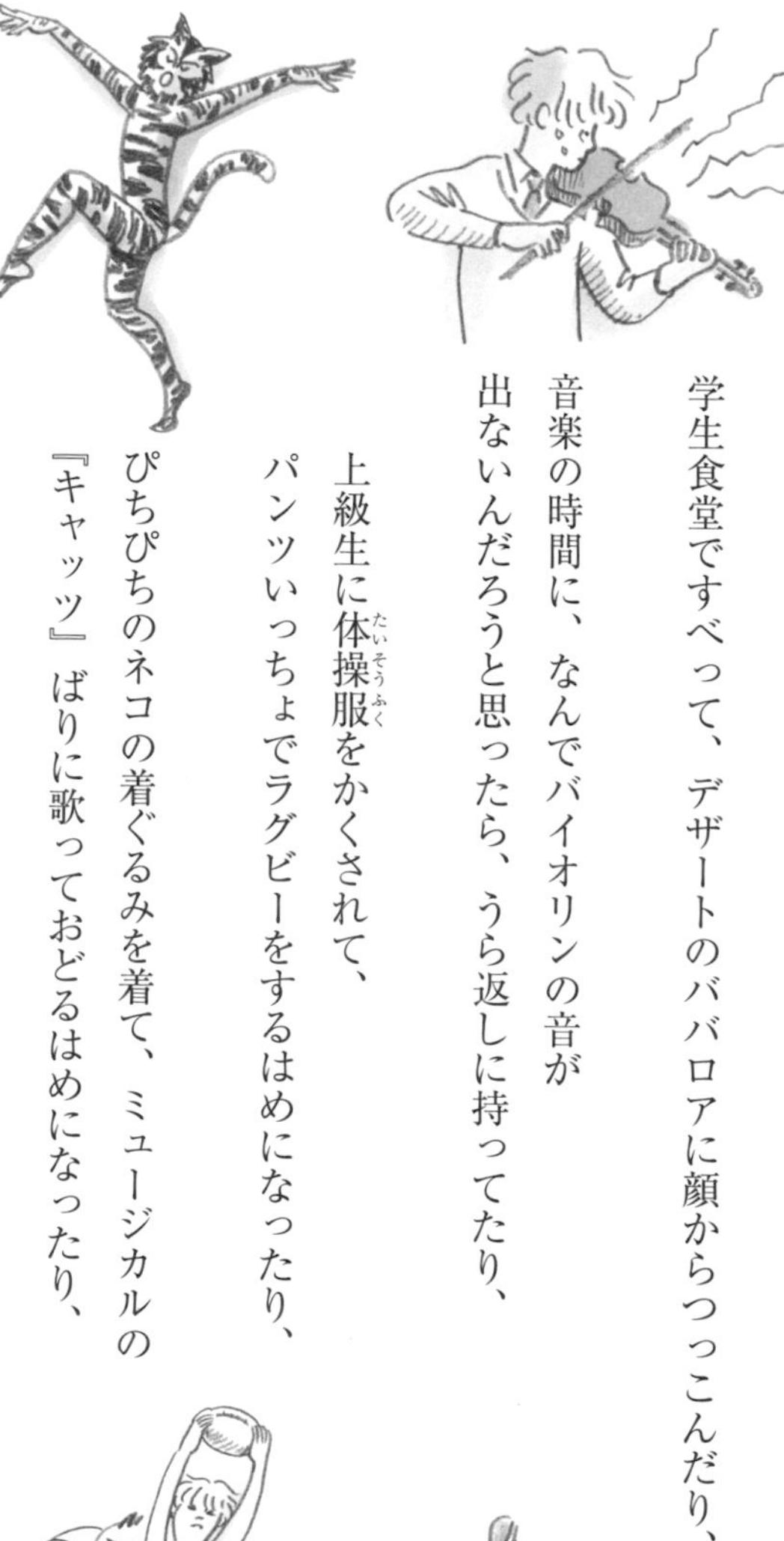

学生食堂ですべって、デザートのババロアに顔からつっこんだり、
音楽の時間に、なんでバイオリンの音が
出ないんだろうと思ったら、うら返しに持ってたり、

上級生に体操服をかくされて、
パンツいっちょでラグビーをするはめになったり、
ぴちぴちのネコの着ぐるみを着て、ミュージカルの
『キャッツ』ばりに歌っておどるはめになったり、
算数の時間にひっかけ問題だと信じこんで、
2+2は5と答えてしまったり、
チョークの粉のせいでくしゃみが止まらなくなって、
シューズ校長を鼻水だらけにしちゃったり。

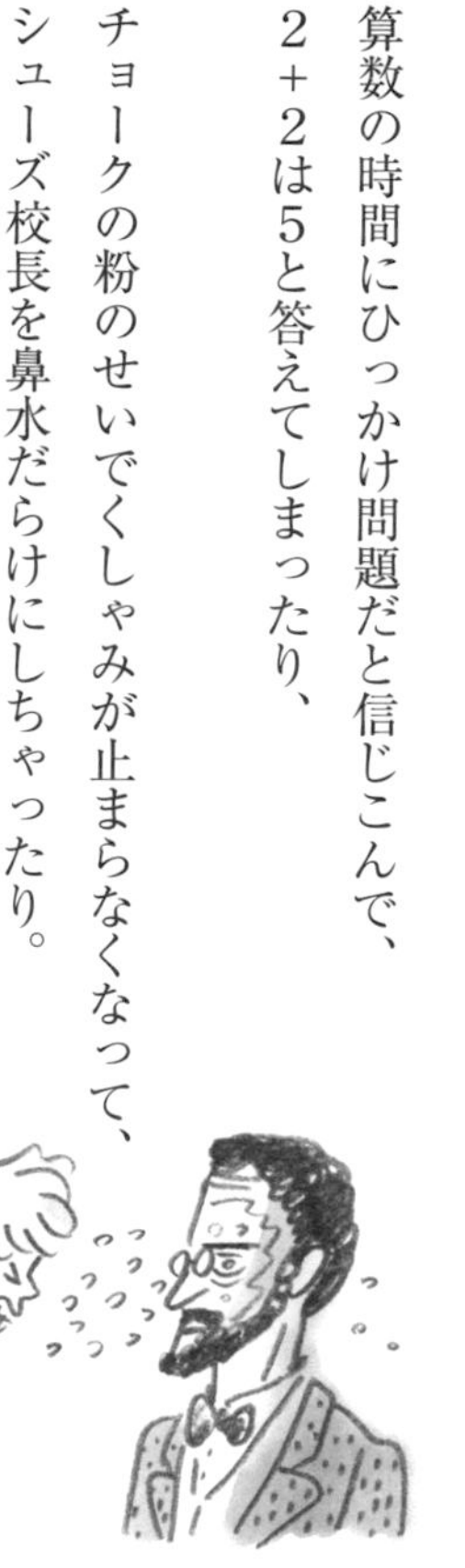

でも、今度は、病室の真ん中でピンクのフリフリのネグリジェを着て立ちつくすはめになったのだ。

「まあ、お似合いよお！」

看護師長は大笑いした。またもや、笑っているのは看護師長だけだった。それから、看護師長は制服にピンでとめてある時計を見た。

「八時一分だ。消灯時間を大幅にオーバーしてるよ！　さあ、がきども、明かりを消すんだ！」

看護師長は病室のおくの師長室にむかってのしのしと歩きはじめた。が、だるまさんがころんだでもしてるみたいに、いきなりふりかえって、動いている子がいないかどうかたしかめた。そしてまた！　さらにもう一度！　そして最後に、子どもたちをぐるりと見まわしてから、ようやく明かりを消した。

6
よからぬたくらみ

カチッ！

病室は闇につつまれた。トムは暗闇が大きらいだった。だから、窓から国会議事堂の巨大な時計の光がかすかに差しこむのを見て、ほっと胸をなでおろした。ロンドンの連なった屋根の先の、病院からそんなにはなれていないところに、「ビッグベン」と呼ばれている時計塔はあった。一時間ごとに時をつげる大きな鐘にちなんで、その名がついたのだ。

ゴーン！

背の高い窓ごしに、時計の文字盤が不気味な光を放っている。看護師長室からも、電気スタンドの小さな光がもれていた。ガラスごしに、闇をじっと見つめる看護師長の姿が見える。だれか動いている気配はないか、子どもたちのベッドを見張っているのだ。

静まり返っている。

すると、静けさの中から、カチッとブリキかんの開く音がした。カサカサという紙の音が続く。でも、ただの紙じゃない。パリパリした銀色の、お菓子をくるんでいる紙だ。そして、くちゃくちゃとかむ音がしはじめた。

トムは昼ごはんからなにも食べていなかった。しかも、昼ごはんもろくに食べていない。学校の給食がおそろしくまずいせいだ。今日は、レバーとゆでたビーツ、それからルバーブの煮こみだった。病院のベッドにねていると、おなかがゴロゴロいっているのがわかる。二つ目の包み紙を開く音がして、さらに三つ目を開く音がしはじめると、トムはがまんできなくなって、真っ暗な中ひそひそ声で言った。

「ねえ、一つくれないかな？」

「シィ！」

6

よからぬたくらみ

声がした。まちがいない、ジョージのベッドからだ。

「たのむよ。もうずっと、なにも食べてないんだ」声をひそめて言う。

「シィ！」また別の声がした。

「これ以上、大きな声を出したら、全員しかられる」

「一つだけでいいんだってば！」

声が大きすぎたにちがいない。その瞬間、

カチッ！


小児病棟の明かりがついた。

明るさに目がくらんだけど、それでも看護師長が飛びだしてくるのが見えた。

「消灯後の私語は禁止だよ！　しゃべってたのはだれだい？」

だれも答えない。

「今すぐだれがしゃべっていたのか言わないと、とんでもなくおそろしい目にあわせてやるよ！」

看護師長は、プレッシャーに負けて口をわりそうな子はいないか、部屋を見まわした。

看護師長に見つめられると、ジョージはやましそうな顔をした。

「おまえかい、ジョージ?」

ジョージは首を横にふった。

「はくじょうしな!」

部屋の反対側からでも、トムはジョージの口がいっぱいなのがわかった。ジョージはしゃべろうとしたけれど、口の中の巨大なチョコレートのせいではっきりと発音できなかった。

「モワ、モワワ、モワ」

「口の中になにが入ってるんだい?」

ジョージは首をふって、「なにも入ってません」と言おうとしたけど、実際に口から出たのは、

「モワ、モワワ、モワ」だった。

看護師長は、獲物にしのびよるワニのようにジョージのベッドに近づいた。

「ジョージ! 手術後の食事制限中のはずじゃないのかい? なのにまたチョコレートをぬすみ食いしたね!」

ジョージは首をふった。

看護師長がぱっとシーツをめくると、チョコレートの大きなかんが出てきた。大きいな

んてもんじゃない、巨大だ。クリスマスにもらったら、次のクリスマスまでなくならないようなやつだ。

「いじきたないブタめ！　ぼっしゅうだよ！」

看護師長は、ジョージからかんをうばいとると、近くの箱からシュッとティッシュをとった。

「口の中のも出すんだよ！」

ジョージはしぶしぶチョコレートをはきだした。

「だれが送ってきたんだい？　父親のはずがないのは、わかってる。刑務所でチョコレートが買えるとは思えないからね！」

ジョージがかっとなったのはトムにもわかったけど、ジョージはぐっとこらえて言った。

「近所の売店のおじさんが送ってくれたンだ。オレがおとくいさまだから」

「そうだろうね、その太り方を見りゃあね！」

「オレがチョコレートがいちばん好きだって、知ってンだ」

「そのバカは、なんて名前だい？」

「ラジ」

「それだけ？」

「新聞販売店のラジ」

「わたしが言ってんのは名字のことだよ、バカだね」

「知らねェよ」

「まあいい、つき止めて、あわよくば閉店に追いこんでやるよ。手術後は、チョコレートは禁止なんだよ」

「ごめんなさい」

「あやまってすむことじゃないんだよ！　病院長であられるクエンティン・ストリラーズ卿に、おまえがドクターの命令にさからったって報告しないとね！」

「わかったよ」ジョージはしょんぼりと答えた。

「明日の朝、たっぷりお仕置きしてやるからね！　さあ、ねるんだ！　全員だよ！」

看護師長はのしのしと師長室にもどっていった。が、またもや、だるまさんがころんだみたいにふりかえって、子どもたちが石像みたいにじっとしているのをたしかめた。


カチッ！

ふたたび明かりが消え、看護師長は自分の部屋にもどった。が、しばらくすると、信じられないことをやりだした。かんをあけて、チョコレートをガツガツ食べはじめたのだ！

6
よからぬたくらみ

どうやらいちばんのお気に入りは紫色のとりわけ大きなやつらしく、猛烈な勢いで選びだしては口へ放りこみ、そのときにはもう、次のチョコの包み紙をはがしているという寸法だ。だが、しばらくそうやって食べているうちに、眠くなってきたらしい。九時になるころには、まぶたがぴくぴくしはじめたけれど、それでもまだ食べて食べて食べ続けた。チョコレートの砂糖で目がさえると思っているのかもしれない。ところが、奇妙なことに、逆の効果がもたらされたようだ。十時になるころには、一回のまばたきが数秒間になったが、それでもまだ食べて食べて食べ続ける。十一時になったときには、必死になって両手で頭をささえようとしていたけれど、頭はどんどん、どんどん、どんどん重くなり、食べるペースはだんだんとゆっくりになっていった。やがて、ドロッとしたチョコレートのよだれがたれて、頭がつくえに、

ガツン！

とぶつかり、ガラスごしに看護師長のいびきが聞こえてきた。

「**グウウウウ、グウウウウウ、グウウウウウ、グウウウ……**」

子どもたちはしばらく息をひそめていた。それから、暗闇の中でだれかがささやいた。

「やったわね、ジョージ」

「うまくいったみてェだな」ジョージもささやき返す。

下町なまりのせいで、ジョージの声はすぐにわかった。

「うまくいったってなにが？」トムはたずねた。

「シィッ！」また別の声が返ってきた。

「新入りくん、あんたは眠(ねむ)ってて！　人のことに首をつっこまないことね。さあ、みんな、真夜中に出かける用意よ」

もちろん、トムは眠(ねむ)れるはずもなかった。ほかのみんなが、なにかよからぬことをたくらんでいるのがわかったっていうのに。真夜中になにがあるんだ？

7 真夜中の時間

トムのベッドのうしろにある背の高い窓から、ビッグベンの文字盤の光が差しこんでいる。と、いきなり、いくつかの影が小児病棟をすばやく通りぬけていくのが見えた。闇の中をするすると進んでいく。

トムはこわくなって、思わず声をもらした。

「うわっ」

とたんに口を手でふさがれ、声が出せなくなった。

そのせいで、ますますこわくなった。

「シィッ！　声を出すな。看護師長が目をさましたら、こまンだろ」

やわらかくて肉付きのいい手で、チョコレートのにおいがする。目が暗闇になれてくると、あんのじょうジョージの手だとわかった。

トムは看護師長の部屋のほうへさっと目をむけた。看護師長はあいかわらずいすにすわったまままぐっすり眠っていた。つくえにつっ伏して、大きないびきをかいている。

「グォオオオオ　グォオオオオオ　グォオオオオオ」

「声を出すなよ！」ジョージはくりかえした。

トムがうなずくと、ジョージはゆっくりと手をどけた。

トムはうしろをむいて、巨大な時計のほうを見た。連なった屋根のむこうで光っている。もうすぐ真夜中だ。

すぐに、ベッドをぬけだしたのはジョージだけではないとわかった。ロビンもいっしょで、アンバーの車いすをおしている。車いすは古くてさびついている上に、車輪の空気がぬけていた。ロビンは目にほうたいをまいているから、なにも見えていない。アンバーのギプスをした脚をまっすぐかべにぶつけてしまった。

「いたい！」

「シィッ！」

ロビンとジョージが同時に言った。気づくと、トムもいっしょになって言っていた。

「シィッ！」

「オレがやる！」

ジョージはロビンをわきへどけてやり、代わりに車いすをおしはじめた。ロビンはジョージの肩に手をおき、三人は下手なコンガダンス（注：キューバのダンス）でもおどっているみたいに一列になって病室を出ていこうとした。
「どこにいくの?」トムはたずねた。
「シィッ!」三人が同時に言った。
「『シィッ!』ばっかり言うの、やめてくれない?」トムは文句を言った。
「いいからベッドにもどって、新入りくん!」アンバーがひそひそと言った。
「でも……」と、トム。
「おまえはオレたちギャングの仲間じゃないだろ!」ジョージが言う。
「ぼくもギャングに入れてよ」
「悪いけど、無理だな、相棒」と、ジョージ。
「ひどいよ!」トムはうめいた。
「お願いだから、声を小さくしてよ!」ロビンがぴしゃりと言った。
「そうよ、静かにして!」アンバーもどなった。

「静かにしてるよ！」トムは言い返す。

「してないでしょ！　しゃべってるってことは、うるさいってことなのよ！　静かにしないと、まずいのよ！」

「なら、そっちこそ、静かにしろよ！」トムは言った。

「かんべんしてよ。みんな、静かにしてくれ」ロビンがちょっと大きすぎる声で言った。

子どもたちはいっせいにおくにある師長室のほうをふりかえった。看護師長は一瞬、もぞもぞしたけれど、目はさまさなかった。みんな、ほっとして同時にため息をついた。

「ババアは、少なくともあと二、三時間は目をさまさねェ。チョコの中にルパース先生からもらった強力睡眠薬をねじこんどいたンだから」

ジョージが言った。

「さすがね、あいつがいちばん好きなのは紫のチョコだって覚えてたんだから」

アンバーが言う。

「かんのチョコぜんぶをむだにする必要はねェだろ？」ジョージはにやりと笑った。

「悪知恵が働くなあ！」トムは言った。

「おほめにあずかってうれしいよ」

ロビンが拍手に応えるかのようにおじぎをして見せた。

7
真夜中の時間

「じゃ、新入りくんはすぐさまベッドにもどって。いい、あんたはなにも見なかったってことだからね！　さ、いこう」

アンバーがそう言うと、みんなはぞろぞろと両開きドアから外へ出ていった。同時に、ビッグベンの鐘（かね）が鳴りはじめた。

ゴーン、ゴーン、ゴーン、ゴーン、ゴーン、ゴーン、ゴーン、ゴーン、ゴーン、ゴーン、ゴーン、ゴーン、
トムは耳をかたむけて、数を数えた。十二回、真夜中だ。

トムはベッドの上で起きあがった。今では、病室にいるのはサリーとトムだけだ。サリーのベッドのほうを見た。眠（ねむ）っている。何時間も前にトムがここにきてからずっと、サリーは眠（ねむ）っていた。

頭ははれていたけれど、トムはいてもたってもいられなくなった。おもしろいことを見のがすのは、ぜったいにいやだ。だから、思い切って未知の世界へ飛びこむつもりで、みんなのあとをつけることにした。気分は腕利き（うでき）のスパイだ。でも、そんな気分がしたのも一瞬（いっしゅん）だった。ベッドから出たとたんに、左足を床（ゆか）の上のおまるにつっこんでしまったのだ。

ガラン、ガラン、ガラン！

8 約束

ガラン、ガラン、ガラン！

トムはおまるから足を引きぬこうとしたけれど、どうしてもぬけない。いらいらして大声でさけびたくなったけど、そんなことをしたら、ますますピンチになるだけだ。看護師長を起こすことだけはさけたい。今のところ、まだ部屋でいびきをかいている。部屋の反対のサリーのベッドのほうを見やった。ベッドに横たわったサリーの毛のない頭に、ビッグベンの光が反射している。サリーのことも、起こしたくない。

おまるが満杯じゃなかったのが、せめてもの救いだ。

トムはできるだけ音を立てないようにすばやく手をのばすと、おまるから足を引きぬいた。それから、つまさき立って病室から出ようとした。はだしの足がピカピカの床にあたって、うっとうしい音がひびく。

ペチャ　ペチャ

8
約束

ペチャ　ペチャ

手の指が病室の重たい両開きドアにふれ、あと数秒で自由になると思ったそのとき、声をかけられ、トムは心臓(しんぞう)が飛びだしそうになった。

「で、新入りさんはどこにいくの?」

トムはふりかえった。サリーだった。

「どこでもないよ」トムはうそをついた。

「どこでもないところにいくことなんて、できないでしょ。どこかにはいくはずよ」

「お願いだから、なにも言わずにまたねてよ。看護師長(かんごしちょう)が起きちゃうよ」

トムはたのみこんだ。

「いやよ。みんな、毎晩(まいばん)ああやって出ていくんだから。それに、あの意地悪な看護師長(かんごしちょう)はまだ数時間は起きないわよ」

「でも、きみは休んだほうがいいと思うよ」

「たいくつよ!」

「たいくつじゃないよ。いいから、もうねて」

「いや」

「いやって?」

「いやって言ったら、いやよ。ねえ、トム。いっしょに連れていって」サリーは言った。

「いやだ」

「いやだって？」

「いやだって言ったら、いやだよ」

「どうしてよ？」サリーはつめよった。

サリーはこないほうがいいと思うのは、サリーがひどく弱っているように見えるからだ。サリーといっしょじゃ、すばやく動けないかもしれない。だけど、そうは言いたくなかった。サリーを傷つけてしまう。なので、こう言うことにした。

「あのさ、ぼくはみんなに追いついて、すぐさまベッドにもどるように、言うつもりなんだよ」

「うそつき」

「ほんとだよ！」

ちょっと強すぎる口調で言ったせいで、ますますうそっぽくなってしまった。

「うそよ。うそつき、毛虫、はさんですてろ！」

トムは今度もまた、ちょっと強すぎる勢いで首をふった。

「どうせわたしがついてこられるわけないとか、そんなふうに思ってるんでしょ」

8
約束

「ちがうってば！」

「そうよ。ほら、はくじょうしなさいよ。わたしをバカだと思ってるの⁉」

思ってない、とトムは心の中で思った。**それどころか、頭がいい。それも、超いい。**トムの寄宿学校には女子はいないから、女子と会う機会はほとんどない。これまでは、女子が頭がいいなんて、思ったこともなかった。でも、この女の子にはなにをしたって自分は勝てないと、トムはすぐさま感じとった。そして、それが気に入らなかった。

「ちがうよ、そうじゃない、ほんとだ」

トムはうそをついた。そうやってサリーを見ているうちに、好奇心が勝った。

「サリー、きいてもいい？」

「いいわよ」

「どうして髪の毛がないの？」

「ぜんぶそることにしたの、そうしたら、ゆで卵みたいに見えるから」サリーは即答した。

トムはクスッと笑った。サリーがなにを失ったにしろ、ユーモアのセンスは失っていないらしい。

「病気のせい？」

「そうでもあるし、そうでないとも言える」

「どういうこと？」

「直接的には治療のせいだから」

「治療の？」

トムは信じられなかった。治療でこんなことになるなら、病気ではどんなことになるんだろう？

「だけど、よくなるんだよね？」

サリーは肩をすくめた。

「さあね」

それから、すばやく話題を変えた。

「クリケットのボールがあたった頭は、治りそう？」

トムはクスッと笑った。

「治らないといいな。治ったら、学校へもどらないとならないから」

「わたしは学校にもどりたい」

「え?!」

そんなことを言う子どもは初めてだ。

「もうここに何か月もいるの。学校にもどりたい。ひどい先生たちだって気にならないく

8
約束

らい」

サリーには会ったばかりなのに、むかしからの友だちみたいな気がした。でもそれから、すぐにいかないと、ほかのみんなに追いつけなくなることに気づいた。

「いかなきゃ」

「で、わたしのことはぜったいに連れていかないわけね？」

トムはサリーを見た。具合が悪そうで、とてもベッドを出られるようには見えない。しかも、とんでもない冒険がまち受けているかもしれないのだ。サリーをおいていくのはもうしわけない気がしたけど、ほかにどうしようもないと思った。

「次はたぶん」トムはうそをついた。

サリーはにっこりした。

「いいの、トム、気持ちはわかるから。ほかの子たちも、一度もさそってくれたことないのよ。いってきて。でも、その代わり一つ約束してほしいの」

「なに？」

「もどってきたら、今夜の冒険のこと、ぜんぶ話して」

「わかった」

「約束？」

「うん、約束」

トムはそう言いながら、サリーの目をまっすぐ見た。新しい友だちをがっかりさせたくなかったのだ。

それから、重たい両開きドアをおした。ろうかから光が入ってくる。トムがドアのむこうに姿(すがた)を消す瞬間(しゅんかん)、サリーは言った。

「めちゃくちゃすごい冒険(ぼうけん)だといいな」

トムはサリーににっこりほほえんでから、ドアを大きくおし開けた。光がトムをのみこんだ。

9
地下の「B」

こうこうとてらされたろうかを歩きながら、トムははっとした。どっちへむかえばいいか、ぜんぜんわかってないじゃないか。新しい友だちのサリーとしゃべっていたせいで、ほかの三人はとっくにどこかへ消えていた。

しかも、日がくれたあとのロード・ファント病院は気味が悪かった。遠くのほうから聞こえる音が、長いろうかに反響している。建物はたてにも横にも大きく、ぜんぶで四十四階あった。病室と手術室、ほかにも、分娩室や、亡くなった人が運ばれる霊安室まですべてそろっている。数百人の患者と、ほぼ同じくらいいるスタッフが日々、過ごす場所なのだ。真夜中は、患者は全員ねているはずだけど、清掃係や警備員をふくめた夜勤のスタッフは、院内を歩き回っている。もしベッドにいないのが見つかったら、たいへんなことになるだろう。しかも、トムはピンクのフリフリのネグリジェを着ているのだ。だれかに見られたら、ちょっとやそっとの言い訳ではまぬがれようがない。

かべの表示を見たけれど、文字がぬけ落ちているせいで、あまり役に立たなかった。

〈きゅうきゅうがいらい〉は〈　　うがい　　〉に。

〈でいりぐち〉は〈　　ぐち〉に。

〈受けつけ〉なんて、ただの〈け　〉。

〈じゅんかんきないか〉は〈じ　かん　ない　〉になっている。

〈レントゲンしつ〉は〈ン　ン　〉しか残っていなくて、もはやなにかわからない。

〈ないか〉は〈ない　〉。

〈しょうにびょうとう〉は〈しょう　　とう〉になってるけど、現実と正反対だ。

〈リハビリテーション〉は〈　ビリ　ション〉。

〈りがくりょうほう〉は〈り　り　う　う〉。

〈じびいんこうか〉は〈　い　こうか〉になっていたので、思わず矢印についていってしまいそうだった。

すると、〈レ　ーター〉という表示が目に入ったので、たぶんはるかむかしは〈エレベーター〉と書いてあったのだろうと推理し、トムはその矢印の指している方へ歩きだした。

エレベーターまでたどりつくと、ピカピカのドアの上についている数字のランプが、ものすごい勢いで左へ進んでいくところだった。トムが見ていると、ランプはいちばん左ま

9

地下の「B」

で移動して、「B」というところで止まった。ベースメント【basement】の「B」、地下という意味だ。

トムは息をのんだ。地下は暗いに決まってる。そして、トムは暗いのがきらいだ。しかも、あの用務係のことが頭をかすめた。はちあわせしたらどうしよう！　肩をつかまれて、ふりかえったら、あのおそろしい顔がこっちを見つめていたとしたら⁉

一瞬、もどろうかと思ったが、そんなことをしたらサリーに意気地なしだと思われると、考え直した。そこで、少しためらいながらも、ボタンをおし、どきどきしながらエレベーターがくるのをまった。

チン！

エレベーターのドアが開いた。

チン！

ドアが閉まった。

トムはふるえる指で「B」のボタンをおした。すると、エレベーターはガタガタと病院の真っ暗な深みへむかってくだりはじめた。

そして、ガタンとゆれて、止まった。

チン！

ドアが開き、トムは闇の中へ足をふみだした。

今や、ロード・ファント病院の地下でひとりぼっちだ。はだしの足が、冷たくぬれたコンクリートの床にふれる。天井には蛍光灯がとりつけてあるが、ほとんどが切れている。つまり、ここはほぼ真っ暗だと言うことだ。

チン！

トムはとびあがった。ただうしろで、ドアが閉まっただけだった。

天井を走っている管から水がポタポタとたれる音が、目の前にのびるろうかにひびいている。

そのろうかを、トムはゆっくりと歩きはじめた。つきあたりまでいくと、さらに四つのろうかに分かれていた。二本は左へ、二本は右へのびている。まるで迷路だ。床の上に車いすの車輪のあとがついていないかと、目をこらした。でも、明かりがほとんどない状態では、よく見えない。そこで、トムはかがんで、床に顔を近づけた。まさにそのとき、なにかがさっと顔をかすめた。

「**うわあああああああっ！**」

トムの悲鳴がろうかにこだました。ドブネズミだと思ったのだ。でも、顔をあげると、はねるようにしてにげていく動物のうしろ姿が見えた。どっちかというと鳥に似ている。

9

地下の「B」

でも、鳥だとしたら、どうしてこんな地下にいるんだ？

床のほこりに車輪のあとがついているのが見えた。右へむかう二本のろうかのうち、一本のほうへ続いている。トムはあとをたどってそちらへむかった。

何歩か進むと、地下のよどんだ空気が少しあたたかくなってきたのを感じた。すぐ先に、巨大な焼却炉が見える。病院で出たごみを燃やしているのだ。そこからそんなにはなれていないところに、車輪のついた巨大なカゴがおいてあった。中を見てみると、洗濯物でいっぱいだ。その上の天井に小さなとびらのようなものがついている。すると、いきなりそのとびらからドサドサッとシーツが落ちてきて、カゴの中に入った。ランドリーシュートになってるんだ、とトムは気づいた。上の階の病棟にある投入口から洗濯物を入れると、トンネルが通じていて、ここに落ちてくるようになっているのだ。

数歩ごとにドアがあり、さらにろうかがあらわれた。トムは、地下をくねくねと進んでいく車輪のあとを追った。

この先の照明はぜんぶこわれてるみたいだ、とトムは思った。

トムはさらに進むか、一瞬、まよった。なにがいちばんこわいって、暗闇なのだ。とはいえ、今さらもどるなんて、バカみたいだ。ほかの子たちを発見して、真夜中の秘密の冒険の正体をあばけるかもしれないのに。トムは足音をしのばせ、ゆっくりと進みはじめた。すぐに、顔の前にかざした自分の手すら見えないほど、暗くなった。じめじめしたかべを手探りしながら進んでいかなければならない。すると、そのとき……

ガシャン！

……地下のろうかに、耳をつんざくような音がひびきわたった。重たい鉄のドアを閉めたような音だ。自分のほかにだれかいるのか？　まさかあの用務係の人？

恐怖でこおりつき、トムは足を止めた。耳をすます。さらに神経を集中させ、じっと耳

9
地下の「B」

をそばだてる。でも、返ってくるのは静けさだけ。体のおくそこからわきあがるような恐怖にのみこまれる。じっと動かずに立っているのに、走っているような気がする。落ちているような、おぼれているような気がする。

たった一人で地下におりるなんて、とんでもないまちがいだったと気づく。ここからにげださなきゃ。今すぐに。引き返そうとしたが、うろたえているせいか帰り道がわからない。トムはピンクのフリフリのネグリジェをひらひらさせながら、はだしのままろうかを走りだした。

クリケットのボールがあたったせいでまだ頭がもうろうとしていたこともあり、トムは息を切らして立ち止まった。と、次の瞬間、なにかにがっしと肩をつかまれた。肩を見やる。手だ。

「うわあああああああっ！」

トムは悲鳴をあげた。

10 ウサギのフンのルーレット

「なにやってンだよ、え？」

怒った声がした。ジョージだ。横にアンバーとロビンもいた。トムがふりむくと、アンバーとジョージはとたんに、どうかなったみたいに笑いくずれた。

「ハッハッハ！」

二人とも完全に笑いが止まらなくなっている。

「ねえ、なにがそんなにおもしろいの？　教えてよ！」ロビンがたずねた。

「そうだよ、なにがそんなにおかしいのさ？」

トムは食ってかかった。どうやら自分が笑われているらしいとわかったからだ。

「あんたのピンクのフリフリのネグリジェよ！　ハッハッハ！」

アンバーが笑いながら言った。

「ぼくのじゃないよ！」トムは言い返した。

「ああ、見えたぞ。話が、ってことだけど。なにしろこれだからね」

10
ウサギのフンのルーレット

ロビンは言って、目のほうたいを軽くたたいた。

「ロビン、ロビンも見えてたら、めちゃめちゃ笑えたのに」ジョージが言う。

「具体的に言うと、どのくらいフリフリなの？」

「そうね……フリルがウェディングケーキみたいに何段もついてる感じかな」

アンバーが答えた。

ロビンの頭の中にイメージがうかんだにちがいない。ロビンはクスクスと笑った。

「笑うな！　三人とも！」トムはどなった。

「そうよ、みんな。笑っちゃだめよ」

アンバーはそう言ったけれど、いちばん大きな声で笑っているのはアンバーだ。

「おい、トム。さっきの質問の答えは？　いったいここでなにやってンだよ？」

ジョージが言った。

「みんなのあとをつけてたんだ。そっちこそ、こんなところでなにやってるんだ？」

トムは言った。

「教えないわよ！　さあ、ベッドにもどって！　ほんとウザいんだから！」

アンバーが言う。

「やだよ。もどらない！」と、トム。

「もどれって！」と、ジョージ。

「やだっていったら、やだ！」トムはむきになって言った。

「どこにいるか見えてれば、ひっぱたいてやるのに。ぼくが見えてなくて、ついてたな！」

ロビンが言う。

「ぼくを連れていかないなら、つげ口してやる！」トムは言った。

三人はショックでだまりこんだ。

トムの寄宿学校で見下げた行為とされているのは、つげ口だった。荒っぽい雰囲気の聖ウィレット校でも、ほかの生徒のことを先生につげ口することはゆるされない。そう、たとえ……

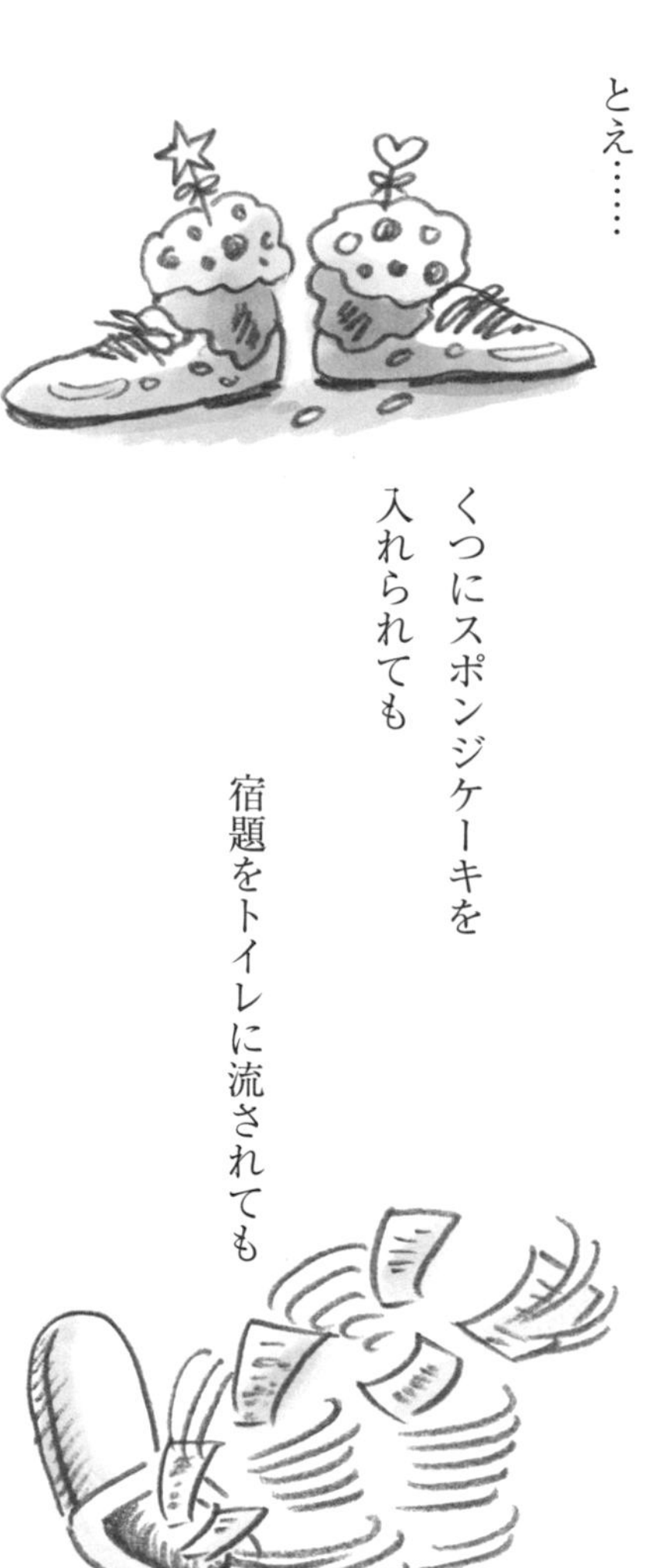

10
ウサギのフンのルーレット

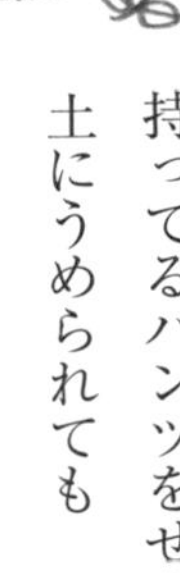

持ってるパンツをぜんぶ、
土にうめられても

ロッカーに閉じこめられても

毛の生えた巨大(きょだい)グモを
ベッドに入れられても

くさい足がはいていたくさいくつしたに、
そったひげをふりかけたものを
食べろと言われても

ねているあいだに
鼻を青くぬられても

くつひもで木にさかさづりにされても

テニスラケットをボンドで手にくっつけられても
　学校の売店で買ったチョコに
　ウサギのフンをまぜて、
　ロシアン・ルーレットならぬ
　ラビット・ルーレットをやろうと言われても

言いつけてはいけないのだ。

だから、トムもつげ口はきらいだったし、これまで「つげ口するぞ」なんて言ったことすらなかったのに、今はこれしか方法がないように思えたのだ。

「ぼくも連れていったほうがいいぞ。じゃないと、大声をあげて、さけんで、病院じゅうの人を起こしてやる。今すぐな！」

「ここでさけんでも、だれにも聞こえないと思うよ」ロビンが言った。

たしかに。

「わかった。じゃあ、エレベーターに乗って、一階までいってから、大声をあげて、さけんで、病院中の人を起こしてやる。数分以内にな！」

10
ウサギのフンのルーレット

最初のおどしほどインパクトはなかったけれど、どうやら効き目があったらしい。三人はぼそぼそと相談しはじめた。

そして、アンバーが言った。

「だめよ。これからいくところは、極秘なんだから」

「なにが極秘なの?」

「ぼくたちは秘密のギャングなんだ」ロビンが言った。

「おい、なにを言ってもいいけど、ギャングの名前が〈ミッドナイトギャング〉ってこたア、言うなよ」ジョージが言った。

トムはさけんだ。

「ミッドナイトギャング!?」

11 バーレちゃった、バレちゃった！

「ちょっと、『ギャングの名前が〈ミッドナイトギャング〉ってこたア、言うなよ』って、なに考えてるのよ？」

アンバーはあきれたように目をくるりと回し、ロビンはため息をついた。

「カッコいい名前だね！　すごくいい！　お願いだから、仲間に入れて」トムは言った。

「**だめだア！　だ・め・だ・ア！**」ジョージが言った。

「ならどうしてだめか、説明してよ」

トムはどうしても〈ミッドナイトギャング〉の仲間に入りたかった。でも、〈ミッドナイトギャング〉がなんなのか、わかっていたわけじゃない。なにしろ、「秘密」なんだから。秘密のギャングほど、最高にワクワクするものはない！　だから、秘密のギャングがなんなのかなんて、どうでもいい。大事なのは、それが秘密ってことだ。しかも、ただの秘密じゃない。極秘なんだから！

トムの質問にみんな、だまりこんだ。どう答えたらいいのか、とほうにくれてしまったのだ。

「秘密のギャングだからよ。これまでずっと秘密だったんだから」

ようやくアンバーがそう答えた。

「だけど、もうぼくが知っちゃったろ。メンバーはきみたち三人で、名前はミッドナイトギャングだって！」トムは言った。

「バーレちゃった、バレちゃった！　バレバレのバレバレだよ！　いや、バレバレのバレバレにバレバレをふりかけたくらいバレバレだ！」ロビンが言った。

「やられたア！」ジョージも言う。

トムはにんまり笑った。

「ううん、やられちゃいないわよ。秘密は、それだけじゃないもの。なにしろあたしたちのギャングはこの病院と同じくらい、古いんだから」

「どういうこと？」

「はじまったのは五十年前なのよ。ううん、もっとむかしかも」

「だれがはじめたの？」

「ないしょよ！」

「しらけるなあ」と、トム。

「アンバーは知らねェから、ないしょなんて言ってンだよ」ジョージが言った。

「それはそれは、するどいご指摘をありがとう」とアンバー。

「するどいだろ？」皮肉に気づかず、ジョージは答えた。

「だれがミッドナイトギャングを始めたかは、だれも知らないの。わかってるのは、この病院に入院してた子だってことだけ。それからずっと、代々小児病棟の子たちに受けつがれてきたの」

「じゃあ、どうしてぼくは入れないわけ？」トムがきくと、アンバーが言った。

「だれだって入れるわけじゃないからよ。ミッドナイトギャングを続けていくためには、秘密が守られなきゃならない。だれかがしゃべったら、それですべて終わり。あんたが信用できるかどうか、まだわからないからね」

「できるよ！　ぜったいだいじょうぶだって！」トムは必死になって言った。

　アンバーはため息をついた。

「わかったわよ。じゃあ、こうしよう。いっしょにきてもいいよ。ただし、まずは今夜だけ。まだミッドナイトギャングのメンバーとしてみとめられたわけじゃないから。みんなで、あんたのようすを見させてもらう。厳密に言えば、今夜はお試し期間ってことね。合格すれば、メンバーにしてあげる。わかった？」

11
バーレちゃった、バレちゃった！

「うん、わかった。じゃあ、ミッドナイトギャングのみんな、いざ冒険へ！　さあいくぞ！」

そう言うと、トムはさっそくろうかを歩きはじめた。

ほかの三人は、その場に立ったまま、首をふった。

「えっと、トム？」ロビンが声をかけた。

「なに？」トムはふりかえった。

「どこへいくのか、知ってんの？」

「あ、そうか。ごめん」

「あーあ。出だしからつまずいてるし」

アンバーはそう言って、腕を動かせないので代わりにあごをしゃくって方向を示した。

「あっちよ！　さあ、いくわよ！」

12 おして！

アンバーは両腕両脚にギプスをはめているので、自分ではほとんどなにもできなかった。車いすから落ちようものなら、起きあがるのにもそうとう苦労する。ひっくり返ったカブトムシみたいに、あおむけになって両手両足をバタバタさせるはめになるだろう。にもかかわらず、たぐいまれなる意志の強さで、アンバーはミッドナイトギャングのリーダー的地位についていた。今も病院の地下を歩きながら、ジョージとロビン、そして新入りのトムに次々と命令を下した。

「まっすぐ！　右に曲がって！　また右！　つきあたりを左！」

ロビンが車いすをさんざんかべにぶつけたので、ジョージが代わりにおすことになった。ロビンはおす係をのがれるためにわざとやったのかもしれない。きのどくに、ジョージはすぐにあせぐっしょりになって、犬みたいにハアハアと荒い息をつくはめになった。車輪の空気がぬけているせいで、かなりの重労働だったのだ。

「トム、やってみたい？」

12
おして！

　さびついたおんぼろの車いすをなんとかまっすぐ進ませようとしながら、ジョージは息もたえだえに言った。

「ううん、遠慮するよ」

「車いすをおすのは楽しいぜ。なア、ロビン？」

「うん、ほんとそうだよね、ジョージ。とっても楽しいよ」

　ロビンは見えすいた答えを返した。

「なア、トム。本気でおれたちのギャングに入りてェなら、お試し期間でいいとこを見せるためにも、アンバーの車いすを少なくともちょっとはおさねェとな」

　トムはため息をついた。だまされているのはわかっていたけれど、仕方がない。

「わかったよ。やるよ、やるって！」

「よっしゃア！」ジョージはこぶしを宙につきあげた。

「ちょっと、あんたたち、リーダーの車いすをおすのは争ってでもやりたい名誉なことなのよ」アンバーが言った。

「だれが、アンバーがリーダーって決めたんだよ？」ロビンが言った。

「あたしがよ！　さあ、いくわよ、トム。おして！」

　トムはしぶしぶハンドルをにぎると、車いすをおしはじめた。アンバーは思ったよりも重く、おすのは一苦労だった。

「もっと早く！　もっと！」

「どこへいくの？」トムはきいた。

「トム、さっきも言ったけど、あんたはまだお試し期間なの。目的地は関係者以外極秘で、あんたは関係者じゃないでしょ。そこを右！」

　トムはおとなしく指示にしたがって右に曲がり、そのまま言うとおり行き止まりまでおしていった。

「止まれ！　方向がまちがってるじゃないの！」アンバーが言った。

「言われたとおりにやっただけです、先生……じゃなくて、アンバー」トムは言い直した。

「先生でいいわよ」

12
おして！

「ちょっと休ませて」

トムはそう言って、床の上にすわった。ジョージとロビンも腰を下ろした。

「先に進む前に、説明してほしいことがある」

「なによ？」

アンバーは気に入らなかった。トムの質問にちゃんと答えないかぎり、もう一ミリたりとも車いすをおしてもらえないのがわかったからだ。

「そもそも何十年も前にどうしてその子が秘密のギャングを作ったのか、まだ教えてもらってないよ」

「ミッドナイトギャングの秘密は、正式なメンバーになるまでは、わからないのがふつうなの」

「アンバー、いいからトムに教えてやれよ。オレはもうこれ以上、車いすをおせねェよ。傷口をぬってンだから」ジョージがうんざりしたように言った。

アンバーは、なさけない男子たちにむかってわざとらしくせきばらいをすると、話しはじめた。

「伝説では、ギャングを作ったという子どもは、何年も何年もロード・ファント病院でくらしていたと言われているの」

「どうして？」トムはたずねた。

「なにかおそろしい病気だったんだと思う。傷口をぬったなんてレベルじゃないやつよ！」

アンバーはそう言うと、ジョージのほうをぎろりと見てから、話を続けた。

「その子はすっかりたいくつしていた。病気っていうのはたいくつだからね。入院してるのはたいくつでしょ。だから、その子もなにかワクワクするようなことをしたくてたまらなかった。うわさでは、ある日、真夜中にその子はすばらしいことを思いついた。自分と小児病棟の子たちとで秘密のギャングを結成しようって」

「その秘密のギャングはなにをしたわけ？」トムはたずねた。

「今から話すところよ。あたしに話す機会をいただければね！」

　地下の暗闇の中でも、トムはジョージがこっちにむかってあきれたような表情を作ってみせたのがわかった。アンバーはそうとう気が強そうだ。ロビンとジョージにも、何度もこうやって身のほどをわきまえさせてきたにちがいない。

「その子はこう考えた。『入院してない子たちは楽しい日々を送ってるっていうのに、自分たちは病院を出ることすらできないなんておかしい。小児病棟の子どもたちで力を合わせて、みんなの夢をかなえるっていうのはどうだろう？　毎晩、真夜中に活動をスタートしよう』ってね」

12
おして！

「どうして真夜中なの？」

「大人たちが知ったらゆるしてくれないからよ。ギャングのことを知ったら、大人はなんとしてでもやめさせようとするって、その子はわかってたわけ。だから、大人がみんな寝静まってから、活動を開始する以外なかった。それからも、けがや病気が治って退院する子たちもいたけど、また新しく入院してくる子もいた。そうすると、ミッドナイトギャングのメンバーは、新入りが信用できるかどうか、たしかめる。ちょっとやそっとの信用じゃないわよ。お医者さんや看護師さんや親や先生や病院以外の友だちにだって、ぜったいに秘密をばらさないって百パーセント確信できたら、そこで初めて、ギャングに入れてあげるってわけ」

「ぼくのことも入れてくれるつもりだった？」

「たぶん入れなかったわね」アンバーはそっけなく言った。

「どうして？」トムは傷ついてたずねた。

「正直、あんたってちょっと軟弱っぽいもん」

「軟弱!?」

「そうよ。軟弱よ！　テニスボールが頭にあたったくらいであんなにさわいじゃってさ！」

「クリケットのボールだよ！」

「同じゃないか！　クリケットのボールのほうが、ずっとずっとずっと重いんだ！」

「はい、はい、そうでしょうね。あんたみたいな弱虫がヒイヒイ言っても持ちあげられないくらい重いんでしょうよ」アンバーは皮肉たっぷりに言った。

ジョージとロビンもクスクス笑った。トムはむっとした。自分がオリンピック選手候補じゃないことくらいわかってたけど、軟弱だと思われるだなんて、考えたこともなかったのだ。

「ほら、トム、ふくれないの！」アンバーが言った。

「ミッドナイトギャングって、なにか具体的なものっていうより、アイデアそのものなんじゃないかな。子どもから子どもへ受けつがれるアイデア」

ロビンが考えこむように言った。

「シラミみてェに？」ジョージがちっとも理解の助けにならないことを言った。

「そう、まさにシラミだよ、ジョージ！　天才！　ミッドナイトギャングはまさにシラミそっくりだな！　頭はかゆくならないけど。シラミ退治用シャンプーとクシもいらないし、それを言うなら、もちろんシラミ自体もいないけど」ロビンは大げさに言った。

「わかったよ、いやみはもういいよ！　みんながみんな、クズ王――じゃなくて、クイズ

12
おして！

王になれるわけじゃねェからな」

「ミッドナイトギャングを次の子どもに引きついでいくことができなかったら、いずれギャングは消えてなくなっちゃう。だから、頭にきざまなきゃいけないのよ、特にリーダーはね。ミッドナイトギャングは一人じゃできないってことを」アンバーが言った。

「特に車いすをおしてもらわなきゃならない場合はね」と、ロビン。

「ミッドナイトギャングは、メンバー全員が力を合わせて初めて目的を達成できるのよ」

「目的ってなに？」トムはたずねた。

アンバーはささやくように言った。

「それがいちばん大切なところよ。目的はね、子どもたちの夢をかなえることよ！」

13 思いつかない！

「夢(ゆめ)は大きければ大きいほどいいんだ！」と、ジョージ。

「あたしがしゃべってんのよ！」アンバーはジョージに言った。

「ごめん」

「だから、トム、あんたも自分の夢(ゆめ)はなにか、考えはじめといたほうがいいわよ。ずっと願ってたこと。なにかある？」

「給食がもっとおいしくなること」

「つまんない！」ロビンが言った。

「えっと、じゃあ、今後一切、クリケットの試合には出なくていいように……」

「おもしろくねェ！」

「え、じゃあ、そうだな、ええと、木曜午後に二時間続けて算数じゃなくなるとか……」

「ひと眠りするから、トムの話が終わったら起こして」

「わかんないよ！　なにも思いつかない」

13

思いつかない！

「考えてみろって！　なにかあンだろ？　オレだって考えるのはとくいじゃねェけどさ、そのオレだって思いついたよ」ジョージが言った。

しかし、悲しいことにトムの頭にはなにもうかばなかった。

「やっぱりあたしの思ったとおりだったみたいね！　悪いわね、トム。あんたはミッドナイトギャングにはむいてない。お試し期間はこれで終わりよ！」

「やだ！」トムはどなった。

「終わりよ！」アンバーもどなり返した。

「ねえ、もう一度チャンスをちょうだい。お願いだよ。なにか考えるから！」

「だめよ！　かなえたい夢も思いつかないのに、ミッドナイトギャングに入ったってむだだもの。じゃあ、投票で決めましょ！　あたしは、トムがギャングのメンバーになるのをみとめない。みんなは？　賛成？」

「ぼくはトムがメンバーになるほうに一票！」ロビンが言った。

「えっ⁉」

「条件は、いいって言うまでトムがアンバーの車いすをおすこと」

「そうだな、トムが車いすをおすンなら、入れてやってもいい！」ジョージも言った。

「あんたたちって、ほんと最低！　わかったわよ。どうやら入れるみたいよ、トム。あと、車いすをおすことになるみたいね」

「やった！」トムはさけんだ。

「じゃ、さっさと立って！」

トムは立ちあがった。

「車いすのむきを変えて。さあ、おして！　速く！」

トムはせいいっぱい急いでろうかを進みはじめた。

「**もっとよ！！！**」

14 急速冷凍庫

四人の子どもたちは、ロード・ファント病院の地下をろうかからろうかへと進んでいった。とちゅうに、ボイラー室があった。トムはアンバーの車いすをけんめいにおしながら、ちらりとのぞいてみた。中には、プールくらいありそうな巨大なタンクがあった。タンクには何本もの巨大な銅管がつながっていて、ガタガタシュウシュウ音を立てていた。

次に真っ暗でじめじめした倉庫の前を通った。トムはまた、中をのぞいてみた。古いがらくたがつめこまれているだけだ。やぶれたマットレスが一つ、床の上においてある。一行はそこも通りすぎた。

するとついに、前のほうに〈急速冷凍庫〉という表示があらわれた。

「ついたわよ!」アンバーが言った。

トムはピンクのフリフリのネグリジェしか着ていない。

「うそだろ!」

「なにがよ?」

「急速冷凍庫の中なんて、入れないよ！」

トムは文句を言ったが、子どもたちは巨大な冷凍庫のとびらをあけた。大量の病院食がしまわれている。

「急速冷凍庫じゃないわよ。あたしたちは北極にいくの！」

「北極？」

トムはききかえした。ロビンとジョージのほうを見たけど、二人ともまったくおどろいたようすはない。

「北極へいくってどういうこと？」

「むかしから、初めて単独で北極点へいった子どもになることが夢だったの。退院したら、世界的に有名な探検家になるんだ。初めて南極点にいった女の子にもなるつもり。ヨットで単独世界一周もしたいし、世界一高い山にものぼりたいし、深い海の底にももぐりたい。どんなすごい夢よりも、もっとすごい冒険をしたいの」

トムはだまって聞いていた。自分もそんな大きな夢を持てたらどんなにいいだろう。学校ではいつもおとなしくて、ひっこみじあんといってもいいくらいだった。目立つのはきらいなのだ。でもこうして今、大きな夢を語るように言われ、一つもないことに気づいて、トムははずかしかった。

14
急速冷凍庫

「腕と脚の骨を折ったときも、探検してたの？」

ジョージが「その話はすンな」と言いたげな目でトムを見た。アンバーはそうきかれて、かなりむすっとしたようすで答えた。

「どうしても知りたいなら言うけど、登山関係の事故だったの」

「でも、それって正確に言うとちがわない？」ロビンが口をはさんだ。

アンバーはひどく気まずそうな顔になった。

「まあ、そうね。登山の訓練をしていたときってことかな」

それでも、トムにとってはすごいことに思えた。

「ぼくだったら、登山の訓練とは言わないな」ロビンが言った。

「なら、なんて言うのよ、利口ぶっちゃってさ！」

アンバーはかみつくように言った。

「ぼくなら、『二段ベッドの上から落ちた』って言うけどね」ロビンはあっさりと言った。

トムはけんめいにこらえようとしたけれど、がまんしきれずにふきだしてしまった。

「ハッハッハ！」

「ハッハッハ！」ジョージも笑った。

すると、ふだんはドライなロビンまで笑いだした。

「ハッハッハ！」

「**うるさい！　だまって！**」アンバーがさけんだ。

唯一の女子であるアンバーがからかわれてひどくはらを立てているのを見ると、男子たちはますます笑い転げた。

「お好きなだけどうぞ」アンバーは先生みたいな口調で言った。

やがて笑いもおさまると、アンバーは言った。

「さあ、アホ男子たち、いざ北極へ。北極にいった初の子どもになるのよ！」

ジョージはトムに手伝うように合図すると、急速冷凍庫へ入る巨大な金属のドアを左右に大きく開け放った。

北極の風がまともに顔にふきつける。

冷たい空気があたたかい空気とぶつかって、真っ白い霧が発生した。最初は霧でなにも見えなかった。しかし、じょじょに霧が晴れてくると、ついに子どもたちの目の前にあらわれたのだ、壮大な光景が。

15 北極

北極を目にして、子どもたちの顔はかがやいた。

もちろん本物ではない。でも、信じられないほどすばらしい光景が目の前に再現されていた。病院の冷凍庫の床は、数十センチもの雪でおおわれていた。冷凍の魚フライや冷凍豆の箱や袋についた霜を集めたものにちがいない。雪のふきだまりや氷穴、イヌイットのイグルー（注：氷を重ねて造るドーム状の住居）まである。天井についているファンが回転して、氷のかけらが舞いあがり、渦をまいている。まるで雪がふっているみたいだ。雪は、ろうかの蛍光灯にてらされて、ダイヤモンド・ダストみたいにキラキラかがやいた。

「**すごい！**」トムは大きな声で言った。

「きれい」

アンバーが言う。これまでだれよりも気が強かったアンバーの目に涙がわきあがるのをトムは見た。

「なにが見えるの？　教えて」ロビンが言った。

驚異の瞬間に、みんなはつい、ロビンが手術のせいで目が見えないことを忘れてしまった。まだ数週間はほうたいをとってはいけないのだ。

「完璧な景色」アンバーが答えた。

「どんなふうに?」

トムが説明した。

「ええとね、ロビン。そこいらじゅうに雪がある。空からもふってきてるんだ」

「うん、顔に落ちてくるのを感じる」

「それに、雪のふきだまりとか、イグルーまであるんだ。信じられないよ、あれ見て、アンバー!」

トムはイグルーの反対側に立てかけてある英国国旗を指さした。建物の柱を折ってとってきたように見える木の棒につけてある。というか、このロード・ファント病院のどこかからとってきたんだろう。

ジョージが言った。

「あれ、雪の上にさすやつじゃん! ほら、冒険家がやンだろ。本当にそこへいってきたって、みんなに証明するために」

「雪にさすってなんのこと?」ロビンが身を乗りだしてたずねた。

15
北極

「はただよ！　ごめん、ちゃんと言わなきゃね」トムはあやまった。

「あたしにちょうだい」アンバーが命令した。

トムは注意深く、アンバーの手にはたのポールを持たせてやった。アンバーはポールを雪につきさそうとしたが、腕のギプスのせいでできなかった。

「できない！」アンバーはひどくいらついて言った。

「手伝うよ！」トムは言った。

「いやよ！　こんなこと、ぜんぶむだ！　バカみたい！」

「バカみたいじゃないよ。ミッドナイトギャングではみんなが力を合わせることが大切って言ってたじゃないか」トムは言った。

「たしかにね」アンバーはむっつりとして答えた。

「なら、手伝わせて。ていうかさ、みんなで手伝おうよ。みんなでいっしょにやるんだ」

「いいな」

ジョージも言って、ロビンの手をポールのほうへ引っぱってやり、四人はいっしょになってはたを冷凍庫の真ん中に深々とつきさした。

「あたしこと、アンバー・フローレンス・ハリエット・ラティは、ここに、北極圏単独いちばん乗りの子どもになったことを宣言します！」

「やったー！」男子たちは声をそろえて歓声をあげた。

「ありがとう、みなさん。ここで、何人かの方々に感謝の気持ちを表明したいと思います」

アンバーは重々しく言った。

「ウヘ、出たよ！」

ジョージが言った。

「時間がかかるよ。アンバーはスピーチ好きなんだ」

ロビンがトムにささやいた。

「最初に、あたしに感謝をささげたいと思います。あたしがいなければ、なにひとつ達成はできませんでした」

「謙虚だね！」ロビンが言った。

15
北極

「それから、この機会にミッドナイトギャングのむかしからの友人たち並びに新しい友人に感謝の意を表したいと思います」

本物の北極ではないかもしれないけど、アンバーの顔にうかんだほこらしげな表情は本物だった。

トムは、ミニチュア版大氷原を見わたした。霧が晴れるにつれ、ふだん冷凍庫に保存してある病院食がすべて片側にどけられ、見えないように氷の粒でおおってあるのがわかってきた。それを見て、とうぜん、大きな疑問がわきあがった。**だれがやったんだ？** いや、人じゃないかもしれない？

ちょうどそのとき、すっと影が横切った。だれかがドアの外を通ったのだ。

「今のなに？」トムは恐怖におののいた声でたずねた。

「なにってなにが？」ジョージがききかえした。

「だ、だ、だれかがそこにいた」トムはつっかえつっかえ言った。

「そこってどこよ？」アンバーがたずねた。

「ドアの外」

「だれもいないわよ」

「いないなら、見てきてよ」トムは言った。

一瞬、しんとなった。

「ええと、あたしは車いすだから、外に出てようすを見ることはできないじゃない？」

「ぼくは外に出ることはできるけど、ようすを見るのはむずかしいな」ロビンが言った。

みんなはジョージのほうを見た。

「いきたいのはやまやまだけどさア、まず先にこのアイスクリームを食っちまわないと」

ジョージはチョコレートアイスだらけの顔で、また容器に手をつっこむと、たっぷりとアイスをすくいとった。

すると、みんなの目はトムにむけられた。

「ぼくは無理だよ！」

「どうしてよ？」アンバーが問いただした。

トムは、自分の着ているピンクのフリフリのネグリジェを見た。

「このかっこうだよ？」

「そんなの、言い訳になんないし！　女子なんてふだんからネグリジェを着なきゃいけないのよ。投票しましょ。トムが外のようすを見てくることに賛成の人は、手をあげて」

あんのじょう、男子二人は手をあげた。

「あたしはあげられないから、あげてないだけで賛成よ。これで決まりね。さ、いってき

15

北極

て、トム」アンバーはえらそうに言った。

「でも……」

「ミッドナイトギャングの正式なメンバーになりたいの、なりたくないの？」

答えはわかっているくせに、アンバーはたずねた。

「なりたいよ、で、で、でも……」

「なら、いってきて！　今すぐ！」

足元の氷がとけはじめてすべりやすくなっていたので、トムは一歩進むごとにころびそうになった。それでもゆっくりと冷凍庫のドアまでいって、まず左側をのぞいた。なにも見えない。それから、右を見た。すると、暗がりからなにかがぬっとあらわれた。そう、あれは、まぎれもなく……ホッキョクグマだ！

「ガオオオオオ！」

「うわあああああああああああ！」

16 ホッキョクグマ

本物のホッキョクグマではない。ホッキョクグマの着ぐるみを着た人間だった。ホッキョクグマの着ぐるみ自体も、よくできているとは言えない。病院のごみをあさって集めたみたいな脱脂綿でできている。目のところに穴が二つあいていて、耳はスポンジ、鼻は聴診器だった。かぎづめはカーテンのフックだし、牙は薬の入っていた白い段ボール箱を折り曲げて作ったものだ。

近くから「ホッキョクグマ」を見ると、トムの恐怖もうすらいでいった。中に人が入っているとわかったからだ。

すると、中の人がフードをとった。

あの用務係だった。

用務係のみにくい顔を見たとたん、トムはまた悲鳴をあげた。

「うわあああああああああ！」

「ごめんなさい、みなさん。おくれてしまって」用務係は明るい声で言った。

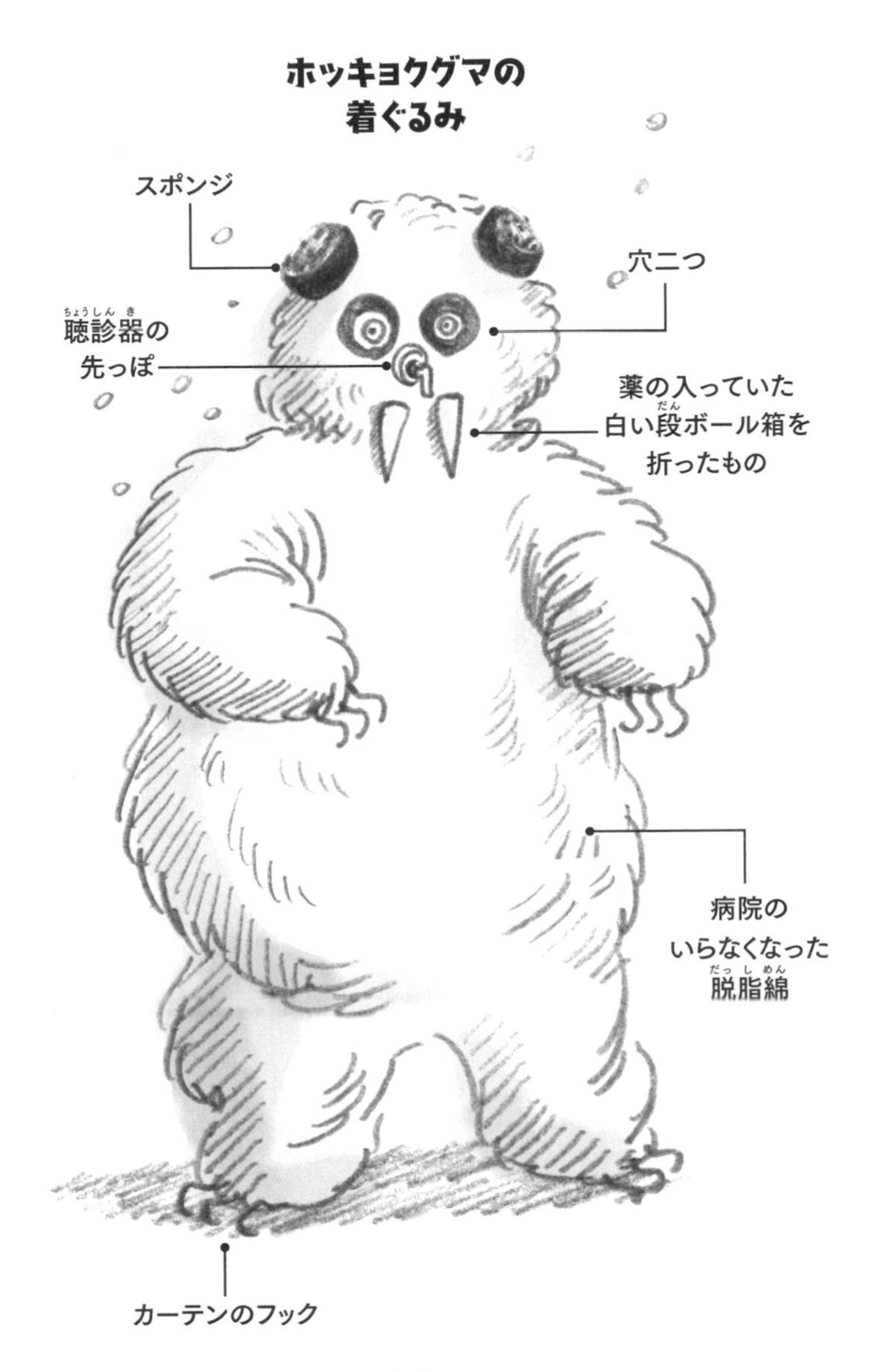
ホッキョクグマの
着ぐるみ
スポンジ
穴二つ
聴診器の
先っぽ
薬の入っていた
白い段ボール箱を
折ったもの
病院の
いらなくなった
脱脂綿
カーテンのフック

トムはあえぐように浅い呼吸をしながらしゃべろうとした。

「ど、ど、どういう……？」

「落ち着いて。わたしですよ、用務係です」

「じゃあ、いろいろぜんぶやっていたのは用務係さん？」

「そのとおり！　冷凍庫の氷を彫って北極の平原を作るのに、何週間もかかりましたよ。何年も霜とりをしていなかったおかげで、使える『雪』は山ほどありましたけどね」

トムはすっかりぼうぜんとしていた。ミッドナイトギャングは子どもしか入れなくて、大人にはないしょだと聞いていたのに、どうしてこの、おそろしい顔の用務係が関わっているんだ？

「用務係さん、こんばんは！」

ジョージとロビンがなんとか冷凍庫の入り口まで車いすをおしていくと、アンバーはあいさつした。

「こんばんは、アンバーじょうちゃん。本当は、ホッキョクグマの着ぐるみを着て、イグルーのうしろから飛びだしておどかそうと思ってたんですよ。だけど、耳をぬいつけるのが間に合わなくて」

用務係はフードをかかげてみせた。耳の黒いスポンジの片方が、糸一本でぶら下がっていた。

「すごい！　これまでの中でも最高の出来よ！　ハグできたらするところなんだけど」

用務係は脱脂綿の手袋をつけた手でそっとアンバーの頭をなでた。

「うれしいことを言ってくれますね。ありがとう、おじょうちゃん。北極へいきたいっていう願いは、なかなかの難問だったんです」

「扁桃腺をとンのに入院したときはさア、まさかホッキョクグマに会うことになるたア、思ってもなかったよ！」ジョージが言った。

「本物じゃないよ」ロビンが言った。

「わかってらア。すぐ気づいたよ。用務係さんがフードをとったときにね！」

「そのときかよ」ロビンはぼそりと言った。

「だけど、用務係さん、どうして用務係さんがこんなことをしてるの？」

トムはたずねた。

「どうして？　うーん、わたしはむかしからミッドナイトギャングの手伝いをしてきたんですよ。いちばん初めのときからね」用務係の目がきらりと光った。

「ただし、看護師長さんには見つからないように気をつけないと。見つかったら、クビにされちまいますから。その場でね！」

「なのに、どうしてやってるの？」

「そうですね、それだけの危険を冒す価値があると思ってるからかな。患者さんたちが幸せなら、その分回復する確率も高くなると思ってるんです」

たしかにそうかもしれない、とトムは思った。

「でも、もしよくならなかったら？」

「回復しなかったとしても、気持ちだけでも明るくなるでしょう？　それって、大切なことだと思うんですよ」

「そのとおりだね」ロビンがうなずいた。

「わたしはただの用務係にすぎません。底辺の底辺、ただのしたっぱ……」

「底辺の底辺なんかじゃない！」アンバーが言った。

「ありがとう」

「ほらさア、トイレそうじの人もいるし」ジョージがだれの役にも立たないことを言った。

「そう言われて、用務係さんもさぞかしうれしいだろうよ」ロビンが冷たく言った。

「トイレそうじは、たしかにくさいにおいはするけど、大切な仕事ですよ、坊ちゃん。わたしは機会がなくて、大学へいって医者にはなれませんでしたが、本当は、心から勉強したかった。わたしは若いころからずっと病院でくらしてきたんです、ここそっくりのね。

16
ホッキョクグマ

これをまっすぐにしようとして」

　そう言って、用務係は自分の形のくずれた顔を指さした。

「でも、うまくいきませんでした。そのせいで、ちゃんとした教育を受けられなくてね。学校にいきたくてたまらなかったけど、病院から出ないほうがいいって言われました。ほかの子たちがこわがるからって」

　トムはもうしわけない気持ちで体がカアッと熱くなるのを感じた。用務係を見たときに、悲鳴をあげてしまったのだ。それも一回じゃない。二回も。

「あたしはこの腕と脚のせいでもう二か月も入院してる。そのあいだに、たくさんの子たちがきては、退院していった。たくさんの夢がかなえられたのよ。用務係さんがいなかったら、ぜったいそんなことはできなかった」アンバーが言った。

　用務係はてれたような顔をした。

「なんと、ありがとうございます、アンバーじょうちゃん。たしかにこれまでも、それはそれはすばらしいことがいろいろありましたよね？」

「教えて、教えて！」トムはせがんだ。

17 冒険談

「ミッドナイトギャングのみんなで、車のレースをしたのよ。スリル満点の夜だった！」

アンバーが言うと、用務係が引きついで話しはじめた。

「車いすでやったんですよ！　ヘンリーという坊ちゃんがいてね、歩けなかったんです。生まれつき、そうだったんですよ。でも、ヘンリー坊ちゃんは心の底からレーシング・ドライバーになりたいと願っていた。だから、わたしは電動車いすの配線をいじって、超高速で走れるように改造したんです。時速百キロですよ！　見えないほどのスピードでしたよ、ビュンッてね。そうしたら、もちろんほかの子どもたちも乗りたがったんです」

「ありゃア、ずるかったよ！　ヘンリーのやろう、ラッキーだよな！」ジョージが言った。

「ラッキー？　歩けないんだぞ！」ロビンが言った。

「たしかにそれはラッキーとは、言えねェな」

「そこで、この地下におきっぱなしになっている古いおんぼろの車いすを何台か探してきて、庭の物置にあった芝かり機から『拝借』してきたエンジンをとりつけたんです。子ど

17
冒険談

もたちは全員、パジャマの背中にレースの番号を書いてね。タオルをレース旗の代わりにして、せいの!でスタートしたわけです!」

「病院のろうかをよオ、一晩じゅう、ぐるぐる走り続けたンだよな! オレは三位だったんだぜ!」ジョージが興奮して言った。

「出場したのは三人だけだったけどね」アンバーが言った。

「そうさ! でも、そンだって三位は三位で変わらねェ!」

「ぼくは百三回クラッシュしたけど、それでも楽しかった。それなのに、どうしてか、二位だったんだ」ロビンが言った。

冷凍庫の中で、子どもたちはみんな、ガタガタふるえはじめていたけれど、それでもミッドナイトギャングの真夜中の冒険の話は止まらなかった。天井から雪ということになっている氷が舞い落ちる中、子どもたちは夢のような本当の話を次々と語り続けた。

「それから、ヴァレリーっていう小さな女の子が入院してきたの。十歳にもなってないくらいだったかな。歴史オタクでね。大人になったら、考古学者になりたいって言ってた。ヴァレリーの夢は古代エジプトの宝を探すことだった」

「どうやって実現したの？」トムはたずねた。

用務係が説明した。

「あのときは、薬局から大量のほうたいをぬすん――じゃなくて、『拝借』したんですよ。それから全員で、おたがいをほうたいでぐるぐるまきにして、エジプトのミイラになったんです。わたしは段ボール箱を使ってピラミッドを作って、その中にみんなで入りました。すべて準備が整うと、ヴァレリーじょうちゃんはピラミッドの中に入ってきて、ファラオ

17 冒険談

の墓を発見した考古学者になりきったというわけです」

「小児病棟にもどるときに、なにも見えないから迷っちゃってさ。ちがう病棟に迷いこんで、お年よりたちをこわがらせちゃったんだ。ミイラが生き返ったと思っちゃったんだよ！ハッハッ！」ロビンが笑った。

「すごく楽しそう。そういう不気味な冒険をするのもすてきだな」トムは言った。

「去年のハロウィンのときにいらっしゃらなかったのは、残念ですよ、トム坊ちゃん」

用務係が言った。

「なにしたの？」アンバーがたずねた。

「そうだよ、そのときにはぼくたちは四人ともいなかったから。ねえ、教えて！」

ロビンも言った。

「ええ、そのときはウェンディというおじょうちゃんがいてね。手術をするために入院していたんですよ。ウェンディじょうちゃんは、長いあいだ入院するのがいやでいやでしょうがなくてね。ハロウィンのおかしをもらいにいけないだけじゃなくて、社交ダンスのレッスンにも出られないから」

「それで、どうしたの？」トムはたずねた。

「こう思ったんですよ、なら、その二つを合わせればいいんじゃないか？って。そこで、

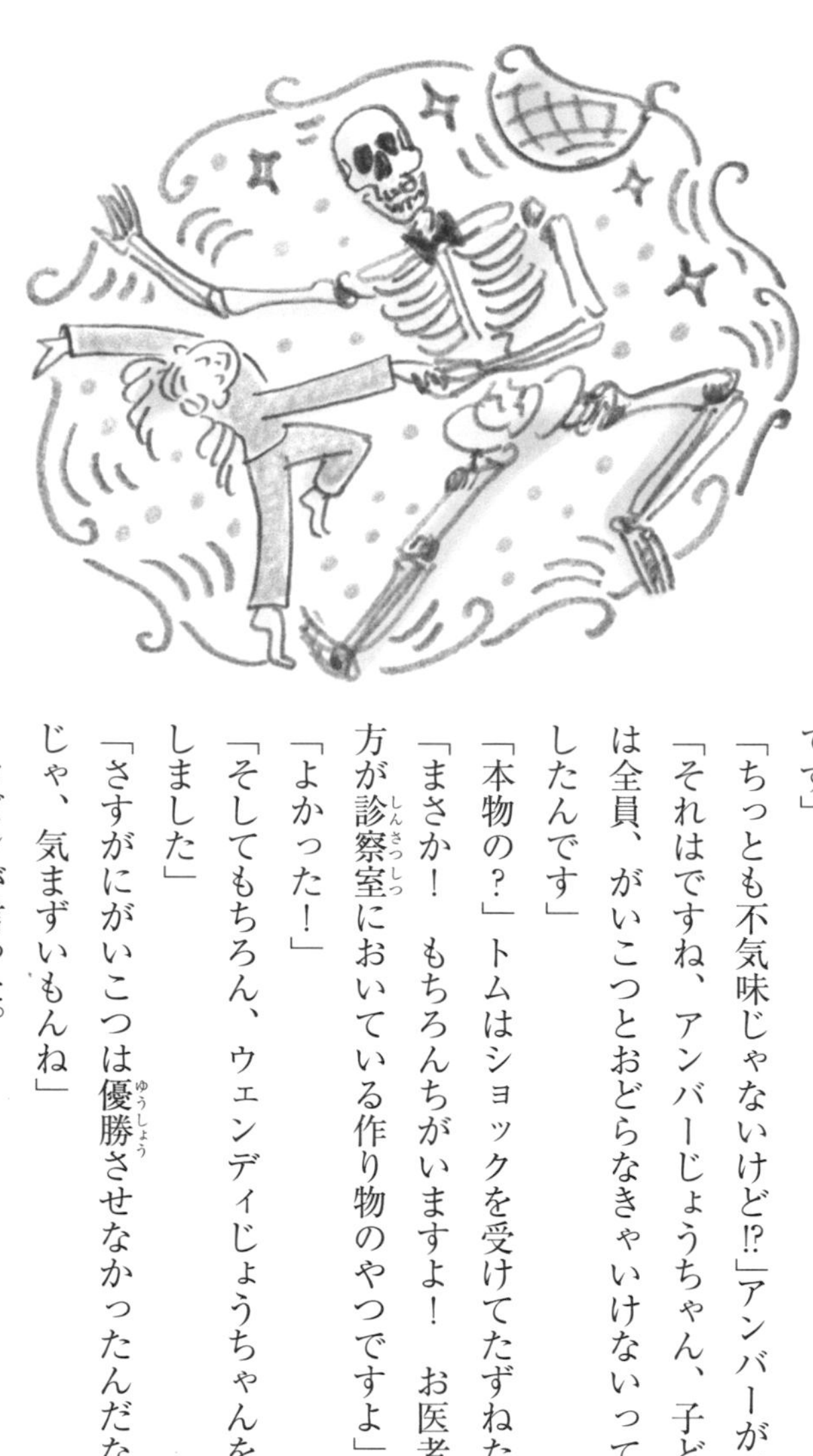

真夜中に始まる社交ダンスコンテストを、計画したんです」

「ちっとも不気味じゃないけど⁉」アンバーが言った。

「それはですね、アンバーじょうちゃん、子どもたちは全員、がいこつとおどらなきゃいけないってことにしたんです」

「本物の？」トムはショックを受けてたずねた。

「まさか！　もちろんちがいますよ！　お医者の先生方が診察室(しんさつしつ)においている作り物のやつですよ」

「よかった！」

「そしてもちろん、ウェンディじょうちゃんを優勝(ゆうしょう)にしました」

「さすがにがいこつは優勝(ゆうしょう)させなかったんだな。それじゃ、気まずいもんね」

　ロビンが言った。

「ここにいるお三方は、ミッドナイトギャングがサー

17
冒険談

フィンをしたときにはもう病院にいらっしゃいましたよね」用務係が言った。

「うん、もういた。ジェラルドって子が交通事故で脚をなくしちゃったときよね」

　アンバーが言った。

「かわいそうだな」トムは言った。

「しかも、看護師長ったらジェラルドに、もうプロのサーファーになれる可能性はゼロだって言ったのよ」

「ほんと、ひどいやつだよ！」ロビンが言った。

「でも、ミッドナイトギャングはそんなことみとめない。ジェラルドに手を貸して、用務係さんのストレッチャーにのっけてあげたの。それからみんなで一晩じゅう、階段をあがったりさがったりしたのよ。波に乗ってるみたいに！」

「すごい！」トムは言った。

「女王陛下とお茶を飲みたいって言ったお坊ちゃんもいましたよね。サンディっていう名前の」用務係が言った。

「それはどうやったの?」トムはたずねた。

「ぼくが女王さまに見えたかどうか、よくわからないんだけどさ。シャワーカーテンを肩にかけて、冠がわりにおまるをかぶったんだ」ロビンが言った。

「オレは女王さまのコーギー犬の係だったンだぜ!」ジョージがほこらしげに言った。

「どういうこと?」

「夜中に病棟へしのびこんでさ、超けばけばのスリッパを集めたンだ。そンで、ぼうの先の針金にくっつけてさ、わんころみてェに動かしたり、キャンキャンほえてみせたりしたンだ」

17 冒険談

「生きてるみたいに見えたよ、信じられないくらいね」ロビンが皮肉たっぷりに言った。

「サンディはすげェ楽しそうだっただろ！」

「ぼうで頭をたたかれたのは楽しくなかっただろうけどね！」

「あれはオレのせいじゃねェ！　コーギーどもが言うことをきかなくなっちまったンだよ！」ジョージは言い返した。

「だろうね！」

「つい先週も、どうしてもコメディアンになりたいって男の子がいたのよね」

アンバーが言うと、ロビンが引きついだ。

「デイヴィッドだろ。でも、ちっともおもしろくないんだ。実際、いたいたしいほどおもしろくなくてさ。なぞなぞとかジョークを言うときも、先にオチを言っちゃうんだ。『みかんは木になります。じゃあ、いちご、トマト、メロン、みかんのうち、どうしてもきになっちゃうのはな～んだ？』とか」

「うそだろ！」と、トム。

「もっとひどいのもあるんだ。『パンダがパンを食べた。パンダのおやつはなんだ？』」

「やめて！」と、トム。

「最高なのはこれ。『オオカミがトイレにいったら、紙がなかったので、紙がないと言いました』」

「どういうこと？」ジョージが言った。

「本当なら、『オオカミはトイレでなんて言った？　オオ、カミがない！』ってやらなきゃいけないのよ」アンバーが教えてやった。

「まだわかんねェ」

「きのどくなデイヴィッド坊ちゃん。ありがたいことに、ご自分がちっともおもしろくないことに気づいてなかったんですよ。でも、人々の笑い声を聞きたいと心から願ってたんです」

「じゃあ、どうしたの？」トムはたずねた。

「笑気ガスを拝借してきたんです」

「なにそれ？」

「病院では、いたみをやわらげるために使うんです。そのガスを使うと、笑ってしまうから『笑気ガス』って呼ばれてるんです。そこで、デイヴィッド坊ちゃんにはないしょで、産婦人科棟で赤ちゃんが生まれるのをまっているお父さんたちがいる部屋にガスを放出したんです。それから、デイヴィッド坊ちゃんをその部屋にいかせたわけです。坊ちゃんがオチから始まるジョークを言うと、ふしぎやふしぎ、お父さんたちが坊ちゃんの言うこと

17
冒険談

言うことに大笑い！」

「ハッハッハッハッハッハッハッハッハッハッハッハッハッハハッハハッハハッハッハッハッハッハッハッハッハッハハッハハッハッハッハッハッハッハッハッ」

「オレがよかったのは、ミッドナイトギャングでイルカと泳いだとき！」

ジョージが言った。

「どこで？」

「病院の水槽ですよ、もちろん！　そりゃデカいんです！　プールくらいあるんですよ！」

用務係が答えた。

「でも、イルカは？」

「水族館から本物を拝借してくることも考えたんですけどね。それはやめておいて、代わりにみなさんのお力を借りて、携帯用まくらに色をぬってイルカを作ったんです。それから、ロープと滑車を使って、水の中で引っぱってみせたんですよ。モハメッド坊ちゃんは、わたしの記憶じゃまだほんの六歳でしたが、それはそれは楽しそうでしたよ」

「いちばんはサファリだンな！」ジョージが言った。

「ええ、あれはふたごのヒュー坊ちゃんとジャック坊ちゃんのためにやったんでしたね。ヒュー坊ちゃんは腎不全で、弟のジャック坊ちゃんから腎臓を片方移植することになってたんです。それで手術のために、二人ともしばらく入院していたんですよ。冒険のために、小児病棟のみんなで衣装を作ったんです、病院にあるものを使ってね。ホースはゾウの鼻になりましたし、けばけばのバスマットはライオンのたてがみ、義足はキリンの首に使いました。それで、電動スクーターを拝借してきて、ジープにしたんです。ふたごの坊ちゃんたちは夜中にジープを乗り回してね、ほかの子どもたちは野生動物の衣装を着て、坊ちゃんたちの前にわっと飛びだしたというわけです」

「すごいや！」トムはさけんだ。

「本当にすごいよ。じゃあ、ジョージとロビンは？　もう夢はかなえたの？」

18

ジャ、ジャ、ジャ、ジャーン！

「ぼくの夢がかなったのは、ほんの数日前だよ」

ロード・ファント病院の地下でロビンは話しだした。

「ミッドナイトギャングに実現不可能な難題をつきつけようと思ったんだ。学校では、ぼくは音楽の奨学金をもらってる。ピアノもバイオリンも楽器はぜんぶ、いつもいちばんの成績なんだ。将来は作曲家になりたいと思ってる。『ラッパをふく』（注：大きなことを言うという意味のことわざ）のはきらいだけど、本物のラッパならふくよ。ぼくが情熱をかたむけているのはクラシック音楽なんだ。特にオペラ。だから、ぼくの夢はオーケストラの指揮をすることだったんだよ」

「たしかにこれは難題でした。オーケストラには百人をこえる音楽家が必要ですからね。そこで、ロンドンじゅうの病院から子どもたちを借りてこなきゃなりませんでした」

「楽器はなにを？」

トムはきいた。

「病院の医療機器を使ったんだよ！　そして、ぼくが指揮をしたんだ。大好きな曲をね。ベートーベンの『運命』さ」

ジャ、ジャ、ジャ、ジャーン！

「どうだった？」

「ひどかったよ！　だけど、それはどうでもいいんだ！　大切なのはその時の気分だったから！」

トムは、ロビンの顔に夢うつつのような表情がうかんでいるのがわかった。

「じゃあ、どんな気分だったの？」

「正確に説明するのはむずかしいよ。だけど、指揮をするのは、空にふれるような気分だった！」

「すごいね！」

18
ジャ、ジャ、ジャ、ジャーン！

トムは言った。みんなの夢の上をいくならとてつもないことを考えつかないとならない。

「次はオレの番なンだ！　次のミッドナイトギャングの活動は、オレの夢をかなえるためのモンなのさ」ジョージが言った。

「ジョージ坊ちゃん、もうちょっとまってください。わたしも、今回の願いには、そうとう入れこんでますのでね」

「どんな願いなの？」トムがたずねた。

「飛びたいんだって」アンバーが答えた。

「飛行機で？」

「ちがうちがう、そうじゃない。そんなんじゃ、簡単すぎるよ。ジョージはスーパーヒーローみたいに飛びたいんだ。なにも使わずに、ぱっととびあがってヒュウウウッってね！　鳥か？　飛行機か？　いいや、スーパー・ジョージだ！ってやつ」

ロビンが説明した。

トムはジョージを見た。ジョージはかなりがっしりしてる。ジョージほど、空を飛ぶのに縁どおそうな子はなかなかいない。とてもできるとは思えない。今回の夢はとっぴすぎる。いくらミッドナイトギャングがとびきりすごいとしても。

けれども、用務係はそう簡単には降参しなかった。

「方法は見つけますよ。心配しないでください、ジョージ坊ちゃん。これまでだって、必ずなにか方法が見つかったんですから。大切なのは想像力なんです。さあ、もう夜おそいですからね。見方によっては、朝早いとも言えますが。これはわたしが片づけておきますから」そう言って、用務係は今夜のために特別に作った北極を指さした。

「子どもたちはねる時間ですよ」

けれども、子どもたちは楽しくてそれどころではなかった。

「いやだあああああ！」子どもたちはあわれっぽい声を出した。

「だめです！　もうとっくにねる時間はすぎているんですよ」

四人の子どもたちはしぶしぶ冷凍庫から出ると、ろうかを歩きだした。

「あのう、トム坊ちゃん？」

「なんですか？」

「どうなんでしょう、坊ちゃんはピンクのフリフリのネグリジェを気に入ってるんでしょうか……」

「気に入ってないよ。これっぽっちもね」

「ああ、やっぱり。どうして看護師長がそのネグリジェをわたしたのか、わからないんです。師長室にはいくらでも予備のパジャマがあるのに」

18
ジャ、ジャ、ジャ、ジャーン！

「ほんとに？」トムは自分の耳が信じられなかった。

「じゃあ、どうしてこれをぼくに着せたの？」

「あの人は、心に闇をかかえているんです。自分がめんどうを見ている子どもたちにいやがらせをするのが楽しいんですよ」

「どうして？」

「看護師長は残酷なことをするのが好きなんです。きっとそうすると、自分が力を持っているような気がするんでしょうね。だから、坊ちゃんにそのネグリジェを着せたんです」

「あんなやつ、大きらいだ」トムは歯ぎしりした。

「だめです。それこそ、あの人のねらいなんです。坊ちゃんがにくんだら、あの人の勝ちなんです。坊ちゃんの心も真っ黒になるということですから。むずかしいのはわかりますが、どうかあの人の思うつぼにははまらないでください」

「がんばってみるよ」

「よかったです。とりあえず、パジャマはわたしがなんとか探してみますから」

「ありがとう」

　そこで、トムは気づいた。

「ええと、まだ名前をきいてなかったよね？」

「『用務係』でいいですよ。みなさん、そう呼んでますから」

そんなふうに呼ぶのは変な気がしたけど、今はそんなことを言うときではないだろう。

「わかった。ありがとう、用務係さん」

「ほら、新入り！　おして！」アンバーが命令した。

ため息をついてトムはまた車いすをおしはじめ、一行はエレベーターのほうへむかった。

「オオカミはトイレでなんて言った？『オオ、カミがない！』」

ジョージが笑いだした。ハッハッハッハッ！

「なにを一人でぶつぶつ言ってるんだ？」ロビンがたずねた。

「今、ジョークの意味がわかったんだ！」

「今度のときは、オチは郵便で送ったほうが早いかもな」ロビンはジョークで言った。

「それじゃ、時間がかかりすぎるよ」

ジョージの答えのほうは、ジョークでもなんでもなかった。

19 病院内調査団

エレベーターが病院の中を四十四階まであがっていくあいだ、だれもしゃべろうとしなかった。アンバーとジョージとロビンと新メンバーのトムは、夜中にベッドをぬけだしたのが見つかったら、ひどくしかられることはわかっていた。四人は階数の表示が「B」からだんだんと上がっていくのをいのるような思いで見つめた。

1、2、3……
もう早朝だ。
4、5、6……
ロード・ファント病院はまだ静まり返っている。
7、8、9……
大人の患者たちはみな、眠っている。
10、11、12……
夜のあいだも、何人かのお医者さんや看護師さんたちは患者さんたちを見守っている。

13、14、15……
チン！

子どもたちはあせって顔を見合わせた。エレベーターが止まったのは、小児病棟ではなかったからだ。

「やべェ！　つかまる！」ジョージが言った。

「シィッ」アンバーがひそひそ声で言う。

トムは運の悪いことにエレベーターのドアのすぐ前に立っていた。ドアが開きはじめた。

「トム、なにか言って！」アンバーがささやいた。

「ぼくが？」

「そうよ、あんたよ！」

エレベーターのドアが開き、病院のそうじ係のおばさんがあらわれた。名札にはディリーと書いてある。

ディリーはよごれた古いモップとバケツを持ったまま、立ちつくした。下唇に、火のついたタバコがひっついている。おどろいてあんぐりと口を開けたひょうしに、タバコの長い灰がポコッと床に落ちた。

ディリーは、ひどく疑わしげな目で子どもたちをながめた。いちばん前にいる男の子は

19

病院内調査団

ピンクのフリフリのネグリジェを着ているし、うしろの三人も全員パジャマだ。

「ベッドをぬけだしてなにやってんだい？」

ディリーの声は低くガラガラで、若いころからずっとタバコをすい続けているのがすぐにわかった。しゃべるのに合わせて、くちびるにひっついたタバコがひょこひょこと上下した。

「いい質問ですね！」

トムは時間をかせごうとした。

「たった今も、院長先生に同じことをきかれたんですよ。ええと、クエンティン・ストリマーズ卿に……」

「ストリラーズ！」アンバーが小声で訂正した。

「ストリラーズ卿に、病院の清掃状況について、質問を受けていたんです」

「なんだって？」ディリーはききかえした。

「そうなんです」ロビンが引きついで言った。

「病院の上から下まですべて調べていたんです」

チン！

エレベーターのドアが閉まりはじめたのを見て、子どもたちの顔にほっとした表情がうかんだ。が、ぎりぎりのところでディリーがぱっと足を差し入れ、ドアはまた開いた。

「どうしてストリラーズ卿が子どもなんかにそんなことをたのむんだい？」

ミッドナイトギャングは一瞬、言葉につまった。

全員の目がロビンにむけられた。ギャングの中で、いちばんかしこいと思われているからだ。

「院長が子どもたちに病院の清掃状況を調べてほしいと思ったのは、その、見ておわかりのとおり、子どものほうが大人よりも背が小さいから、床に近いんです。つまり、ごみやほこりを見つけるのも、その分簡単だというわけです」

ほかの三人は心底感心したようにロビンを見た。

「だけど、あんたは目にほうたいをしてるじゃないのさ！　そもそも見えないだろ！」

そうじ係は言った。

たしかに。

トムが口をはさんだ。

「そこで、ぼくの出番となるわけです。ぼくはこのグループの目の役割をしているんです。そして、言わせていただくと、床はきたないですね」

ディリーは、ふれたものはすべて、もとの状態よりもきたなくするというめずらしいタ

19
病院内調査団

イプのそうじ係だった。実際、よごれで真っ黒になった水で床をふくものだから、ディリーがモップをずるずるとひきずった場所には、真っ黒いよごれがべっとりついていた。

「たった今、そうじしたところなんだよ！」

ディリーは言い返した。

「そうですか。しかし、たいへんもうしわけありませんが、もう一度やっていただきましょう」

チン！

エレベーターのドアがふたたび閉まろうとした。

しかし今度もまた、果たせなかった。

ディリーの足がまだ、ドアのレールの

上にどっしりとおかれていたからだ。

タバコのけむりが輪をえがきながら子どもたちのほうへただよってきた。

「そして、あたしはこのグループの鼻の役割をしています！」アンバーが言った。

「もうしわけありませんが、七階のお手洗いは今すぐ清掃する必要があります」

「たった今、トイレそうじをしてきたところなのに！」ディリーは文句を言った。

「では、どうやらなにか、見落とされたようですね」

「もしくは、直後にだれかが入って、とある非衛生的なものを投入したのかもしれません」

ロビンがつけくわえた。

「そうよ、だってここからでもにおうもの！」

アンバーは、あるはずの悪臭をかいで鼻にしわをよせてみせた。

「オレはなにもにおわねェぞ！」ジョージが言った。

トムはジョージをたたいてだまらせると、言った。

「さあ、ではその足をどけていただければ、われわれ病院内調査団は調査を続けようと思います。クエンティン・ストリラーズ卿にあなたのことを報告したくはありませんしね」

ギャングの子どもたちはいっせいにそうだそうだと首をふって、ぶつぶつつぶやいた。

「あたしがあなたの立場でしたら、七階のお手洗いをすぐさまピカピカにしますね！」

19
病院内調査団

アンバーがぴしゃりと言った。

「はい、はい、わかりましたよ」

ディリーは足をどけた。またタバコの灰が床に落ちた。

「ディリー、最後にもう一つ」

ロビンが言った。

「あん？」

「タバコはやめた方がいいですよ、健康に悪いっていううわさがありますからね。次のエレベーターは下にいきますから！　じゃ、どうも！」

それがロビンの別れの言葉になった。

チン！

20 ちかい

ようやくエレベーターのドアが閉まり、四人の子どもたちはほっとして、ハアーッと息をはいた。エレベーターはガタンガタンと小児病棟にむかって上昇しはじめた。そうじ係のおばさんに聞こえないところまできたと確信すると、四人はいっせいにどうかなったみたいに笑いだした

「ハッハハッ！」

「トム、うまくやったわね。清掃状況の調査だなんて！　天才よ！　おかげで助かった。できるなら、背中をパンパンたたいてあげたいところよ！」

アンバーは石膏で固められた腕に目をやった。

「ぼくもトムが立ってるところさえわかれば、背中をパンパンたたいてやりたいところさ」

ロビンがほうたいの下で満面の笑みをうかべた。

「なら、オレがやってやるよ」ジョージが言って、トムを四回たたいた。

「オレたち一人ひとりから、一回ずつさ」

20
ちかい

「三人でしょ！」アンバーが指摘した。

「あ、そうか。算数はむかしから苦手なんだよ」

「じゃあ、これでぼくはミッドナイトギャングの正式なメンバーになったってこと？　今夜の冒険で、お試し期間は終わりってことだよね？」

トムは期待をこめてたずねた。

ガタガタとゆれるエレベーター内はまたしんとなった。

「ちょっと話し合いをさせて」

アンバーが言い、三人はエレベーターのすみっこでぼそぼそと話しはじめた。そのあいだ、トムはおみその子どもにでもなったみたいな気持ちで立ちつくしていた。

すると、アンバーがおもむろに口を開いた。

「ミッドナイトギャングの会議の結果、会議のメンバーは全員一致で……」

「オッケーだよ！」ジョージがさけんだ。

アンバーは主役の座をうばわれて、ひどくむっとした顔をした。

「ちょっとじらしてやろうと思ったのに」

「ありがとう！」

トムはおどりだしたい気分だった。寄宿学校ではいつも、部外者のような気持ちがしていた。ラグビー部の仲間にも入ってないし、人気者のグループにも入っていない。成績のいい子たちのグループとも無縁だ。でも、今、世界一スリル満点のグループに入れたのだ。そう、ミッドナイトギャングに。

「ぼく、ほんとにほんとにうれしいよ」

「会費は一年に千ポンドを現金でぼくにはらってね」ロビンが言った。

一瞬トムはとほうにくれたけれど、ロビンのにんまりと笑った顔を見て、じょうだんだとわかった。

「オレ、一度もはらったことねェよ」

ジョージはじょうだんだってことがわからず、心配そうに言った。

「明日の朝いちばんではらってくれればいいよ」ロビンが言った。

「だけど、千ポンドも持ってねェ！」

「じょうだんよ、バカね。だけど、ちかいの言葉は言ってもらわないとね」

「厳粛なちかいだぞ。ミッドナイトギャングに忠誠をちかうんだ」ロビンも言った。

「あたしの言ったことをくりかえして。わたしはここに厳かにちかいます……」

「わたしはここに厳かにちかいます……」ジョージがくりかえした。

「あんたじゃないわよ、ジョージ！　あんたはもうメンバーでしょ」

20
ちかい

「あ、そうだった」

「わたしはここに厳かにちかいます……」トムはくりかえした。

「自分よりもまず、ギャングの兄弟姉妹の求めに応じ……」

「自分よりもまず、ギャングの兄弟姉妹の求めに応じ……」

「ミッドナイトギャングの秘密を永遠に守ることを」

「ミッドナイトギャングの秘密を永遠に守ることを」


チン！


エレベーターのドアが四十四階で開いた。

「おめでとう、トム！　これで、ミッドナイトギャングの正式なメンバーね」

21 闇の中の声

最上階でエレベーターのドアが開くとすぐに、四人とも口を閉ざした。ここから小児病棟まで、せいいっぱい静かにしていなければならない。そろそろ看護師長も起きるころだ。まだ起きてなければの話だけど。

夜のしんと静まり返った中では、どんな小さな音でも、あたりにひびきわたるように思えた。

小児病棟の背の高い両開きドアのガチャッという音。

トムのはだしの足がピカピカの床をふむペタッという音。

ロビンの革のスリッパが、一歩歩くたびに立てるキュッという音。

車いすの空気のぬけたタイヤのガタガタという音。

車いすをおすトムのハアハアという荒い呼吸。

ジョージのフンフンというのんきな鼻歌。

「シィッ。静かにしないと」アンバーが言った。

21
闇の中の声

「ごめん！」

小児病棟は真っ暗だった。おくの看護師長の部屋から、うっすら明かりがもれているだけだ。あと、窓の外でビッグバンの文字盤がかがやいていた。

ミッドナイトギャングは、看護師長がまだいびきをかいているのを見て、胸をなでおろした。

「ゴオオオオオ、ゴオオオオオ、ゴオオオオ」

看護師長はつくえにつっ伏していた。トムがじっと観察すると、くちびるにまだチョコレートがついているのが見えた。つくえの上にも、口からたれたチョコレート色のよだれがたまっている。威厳もへったくれもないようすを見て、トムはにんまりした。それから、看護師長を起こさないように、足音をしのばせて自分のベッドにもどろうとした。

「ちょっと、先にあたしに手を貸して！」

アンバーは男子たちに、車いすからおろしてベッドに移すよう命令した。

ところが、男子たちがアンバーを持ちあげたまさにそのとき、暗闇の中から声がした。

「こんな時間にどこへいってたの？」

男子たちはおどろいてアンバーを落としてしまった。

「いたあああい！」

22 鼻水

「どこいってたの、ってきいたのよ」

サリーだった。

青白い肌の髪のない女の子は、あいかわらず小児病棟のいちばんおくのベッドの中にいた。今回もまた、ほかの子たちが冒険をしているあいだ、おいていかれたから。

「どこでもないわよ！」

アンバーがぶっきらぼうに答えた。ベッドにもどすとちゅうで落とされたいたみで、体がまだじんじんしていたのだ。

「どこでもない場所にいくなんて無理よ。どこかにはいっていたはずよ」

「さっさとねて！」アンバーは声をひそめて言った。

「いやよ！　トムが約束してくれたのよ、今日の冒険のことをぜんぶ教えてくれるって。そうよね、トム？」

子どもたちがいっせいに自分のほうを見たのを感じて、トムはベッドのふとんの下にも

22
鼻水

ぐりこんだ。

「うんまあ……」

トムはふとんの中でもじもじした。ミッドナイトギャングの三人が、信頼できる仲間内以外の人間に秘密を話すのをいやがるのはわかっている。トムは胸が引きさかれる思いだった。たった今、ミッドナイトギャングのちかいの言葉を口にしたばかりだ。でも、毎晩病室においていかれるサリーのことを思うと、心がいたんだ。でも、トムにはどうしようもない。

「なにも約束なんてしてないよ」

そう答えたとたん、うそをついたはずかしさで胸がつらぬかれた。

「約束したじゃない！」

サリーの声はふるえていた。サリーのはらの底からみんなに対する怒りがわきあがった。

「今日、真夜中になったすぐあとに、トムに連れていってってたのんだのよ。トムは『ダメ』って言ったけど、あとでぜんぶ話すって約束したの」

「したンか、トム？」ジョージがたずねた。

トムは一瞬ためらったあと、「してない」と答えた。

「したじゃない！」

「してない！」

「したわ、したわ、したわ、したわ！」

「お願いだから、静かにして！」アンバーが必死になって言った。

「いやよ！」

サリーは、小さな体からは想像もつかないような大きな声で言った。

「今夜、なにがあったか話してくれるまでは、いや。わたしは、毎晩毎晩みんながこっそり出ていくのを見てきたのよ。いったいなにをしようとしてるのか、話してくれるべきよ！」

「お願い、サリー。お願いだから、ねてちょうだい。看護師長に見つかったら、全員、たいへんなことになる」

22
鼻水

「い、や、よ！」サリーはどなり返した。

その声で目がさめたにちがいない。とたんに、看護師長のいびきがぴたりと止まった。

「グオオオオ、グオオオオオオ、グオッ」

師長室と病室をへだてているガラス窓ごしに、看護師長がふらふらしながら立ちあがるのが見えた。髪はさか立っているし、メイクはぐちゃぐちゃだ。あおむけのまま生垣をくぐってむこう側へひきずられたピエロって感じ。一、二度ぐらついたが、看護師長はなんとか体勢を整えると、ずんずんと病室に入ってきた。子どもたちは全員ベッドの中で石像のように固まった。息すら止めていたので、かえって、なにかあるにちがいないとバレたらしい。

看護師長はおそろしげな声で言った。

「しょうもないガキどもが、なにかたくらんでることくらい、お見通しだよ。今回はまんまとにげおおせたかもしれないが、いいかい、あたしは一人ひとり、ちゃあんと見てるからね」

看護師長はベッドのあいだをいったりきたりしながら、一人ひとりの顔をのぞきこんだ。香水のにおいがきつくて、実際に鼻をくすぐられているような気がする。トムはくしゃみが出そうになって、一瞬ゾッとしたけど、なんとかひっこめた。と思ったら、すさまじい勢いでムズムズがもどってきた。

「ハックショイッ!!!!!!」

くしゃみは看護師長の顔面を直撃した。

トムはおそろしさのあまり、目を開けることができなかった。看護師長の顔からねっとりした鼻水がつららのようにたれているところなんて、とても見られない。トムはますますぎゅっと目を閉じて、くしゃみでも目がさめなかったふりをした。

盛大に鼻水を浴びた看護師長は、気持ち悪さのあまり、すぐさま師長室へにげ帰った。透明のゴム手袋をつけ、消毒薬で顔の鼻水をゴシゴシとる。何度もくりかえしてようやく最後の一滴までとれたと納得すると、心を落ち着けるために、チョコレートを一粒口に放りこんだ。と、たちまち目がとろんとなり、看護師長はまたもや眠りこんでしまった。強力睡眠薬入りチョコレートにノックアウトされた看護師長の頭が、ゴツンとつくえにぶつかった。

「グオオオオ、グオオオオオ、グオオオオオ、グオオオオ」

アンバーがトムにむかってひそひそと言った。

「うまくやったわね! でも、もともとはぜんぶあんたのせいよ。どうしてサリーにぜん

22
鼻水

ぶ話すなんて約束しなきゃならなかったわけ？」

「なにも約束なんてしてないよ」

トムは自分のうそにがんじがらめになり、もはや引き返せなくなっていた。うそをつくたびに、体の中の一部が死んでいくような気がした。

「もうどうでもいいよ！　今夜はもう、だれも一言も口をきかねェことが第一だ。看護師長にバレっからな。いいな⁉」ジョージがささやいた。

「うん、わかったよ。だから、きみももう静かにして」ロビンが言った。

「アホなこと言ってンなよ、ロビン。いいからさっさとだまって、ねろ！」

「一刻も早く眠りたいよ！　きみがぼくにねろっていうのを止めて、一瞬でも静かにしてくれれば、眠れるさ！」

「二人ともバカなことを言い合ってないで、今すぐねて」アンバーがささやいた。

そのあとは、だれも一言も発しなかった。

23 カワウソのからあげ

「朝食だよ！　子どもたち、さあさあ、目をさまして！　朝食の時間だよ！」

小児病棟の子どもたちはこの呼び声で目をさました。まだ眠ってから二、三時間しかたっていない。

看護師長も、ビクッとして目をさました。おでこにチョコレートの包み紙がくっついている。

「なんだい、なんだい、なんだい、なんだい⁉」

看護師長はさけんだ。今が昼だか夜だか、そもそも自分が目をさましてるのかねているのかも、わかってないのは一目瞭然だ。

トッツィは病院の配膳係だ。まるまる太った楽しげな女の人で、巨大なアフロヘアに、おひさまみたいな笑顔をしている。いつものとおり、トッツィは食事ののったワゴンをおしていた。

「まったく、あんたかい」

23
カワウソのからあげ

トッツィが病室に入ってくると、看護師長ははきすてるように言った。

「ああ、あたしだよ、トッツィさ！」トッツィは陽気に答えた。

「看護師長さん、まさかまた仕事中にねてたんじゃないだろうね！」

子どもたちはベッドの上で体を起こしてすわっていた。トッツィはいつも、子どもたちを笑わせてくれる。特に宿命の敵、看護師長とバチバチやりあうときなんかは、最高だ。

「まさか、ねちゃいないよ！　もちろん、起きてたよ」看護師長はうそをついた。

「なら、なにをしてたんです？」トッツィはなおもきいた。

「えっと、そりゃ、自分のつくえで伝票を確認してたのさ。そ、その……字がひどく小さいから、ぴったり顔をくっつけなきゃ読めなかったんだよ！　さあ、いいからさっさと朝食を配ってちょうだい！」

「ええ、もちろんですよ、看護師長さん！」

看護師長が鏡の前でなんとか身なりを整えているあいだに、トッツィはワゴンをおしてトムのベッドのほうへきた。

「おはよう、ええと……」

トッツィは、トムのベッドの上の黒板に書いてある名前を読もうとして、アフロヘアの上にのっけていた老眼鏡をかけた。

「トムか！　おはよう、おはよう、おはよう、トム！」

トムはどうして「おはよう」を何度もくりかえすのかわからなかったけど、思わずにっこりした。なにしろトッツィときたら、まるで歌うようにしゃべるのだ。

「おはようございます！」トムもあいさつした。

「おはよう、おはよう、おはよう」

ほかに言うことを思いつかなかったので、トムも思わずまたくりかえした。

「おはようございます！」

「おはよう！　たしかに『お早う』だね。子どもたちみんな、起きるのがお早うございますねえ！　さてさて、トム、朝食はなにが食べたい？」

「なにがあるんですか？」トムはたずねた。

「なんでもあるよ！」

「なんでも？」トムはききかえした。そんな、すてきなことってあるのか⁉

「なんでもさ！」トッツィは自信たっぷりにくりかえした。

ほかの子たちはクスクス笑った。トムにとっては、病院での初の朝食だけど、どうやらみんな、トムの知らないことを知ってるらしい。

トムの寄宿学校の食事はひどかった。学費はむちゃくちゃ高いくせに、食事は何百年も

23
カワウソのからあげ

前に学校が設立された時からなにひとつ変わってないんじゃないかって感じなのだ。

一週間のメニューはだいたいこんな感じだ。

月曜日　**朝食**　うすいおかゆ　**昼食**　ゆでた牛の腎臓　**夕食**　子牛の頭のスープ

火曜日　**朝食**　豚足のトーストのせ　**昼食**　ブタの脂のサンドイッチ　**夕食**　子羊の舌のシチュー

水曜日　**朝食**　昨夜の子羊のシチューの残り　**昼食**　ハトのスープ　**夕食**　ゆでたウナギ

木曜日　**朝食**　臓物　**昼食**　白鳥の首のむし煮　**夕食**　アナグマのロースト　ビーツソースぞえ

金曜日　**朝食**　スズメの卵トーストのせ　**昼食**　イラクサのシチュー　**夕食**　カワウソのからあげ

土曜日　**ブランチ**　ヒキガエルのトーストのせ　**お茶**　馬のひづめ　食べられるだけのゆでキャベツをそえて　**夕食**　野ネズミの燻製

日曜日　**朝食**　生の玉ねぎ　**昼食**　モグラのロースト、野菜くずぞえ　骨の髄のゼリーよせ　**夕食**　びっくり芽キャベツ（なぜ「びっくり」かというと、芽キャベツだけだから）

だからとうぜん、なんでも好きなものを食べられると聞いて、トムの胸（むね）はおどった。トッツィに注文を伝えようとするだけで、よだれが出てくる。

「ホットチョコレート――あ、ホイップクリームをのせて、マシュマロはわきにそえておいて。あと、バターをぬったあつあつのクロワッサン。一つじゃなくて、二つお願いします。あと、バナナマフィン。ポーチドエッグにベーコンとソーセージをそえたもの。そうだな、ソーセージは二本で。ううん、三本でお願いします。ブラウン・ソースもそえてください。デザートはブルーベリー・パンケーキにメープルシロップをかけたのがいいな。ありがとうございます！　ああ、やっぱりソーセージは四本で！」

　食べたことがないような、ゴージャスな朝食になるぞ。なのに、なんでみんな、大笑いしてるんだ？

「ハッハッハッハッハッハッ！」

24 最高の朝

トッツィは答える代わりに質問した。

「トーストとコーンフレークとどっちにする？」

「なんでもあるって言ってましたよね⁉」トムはきょとんとして言った。

「ああ、言ったよ。だけど、本当のこと言うと、ロード・ファント病院じゃ、経費が削減されてね。今じゃ、すっかりなさけないところになっちまったんだよ。新しい院長が、患者さんの食費を大幅にへらしたもんだからね。今じゃ、だれも入院しなきゃならない日数以上は、ここにいたがらなくなっちまった」

「そうでしょうね」トムは言った。

「あたしゃ、ここで三十年働いてきたからね。朝食に心底食べたいものをなんだって食べられるって思えば、患者さんがハッピーになるってわかってるんだよ」

「だけど、食べられないんですね」

トッツィはため息をついた。新入りの子はまだわかっていない。

「患者さんがトーストかシリアルだけたのむことにすれば、好きなものをなんだって食べられるってのを、信じていられるだろ。何年も前にとりこわすべきだったオンボロ病院にいるってことを、忘れられるんだ。自分たちはリッツホテルにいるんだって思えるんだよ！」

トムはにっこりした。トッツィの言いたいことが、よくわかったのだ。だから、いっしょにごっこをすることに決めた。

「わあ、ありがとう、トッツィ。そうだな、今朝はトーストだけでお願いします」

「なら、トーストはもう、なくなっちゃったよ」

「なら、コーンフレークで！　もともとコーンフレークのほうがよかったんだ」

ぜんぜんかまわない。トムは、コーンフレークは好きだった。

「コーンフレークに牛乳をかけてもらえたりする？」トムはもしやと思って言ってみた。

「それとも、クリームのほうが好きかい？」

「わーい、じゃあ、クリームで！」

「残念ながら、クリームはないんだよ」

「なら、牛乳で」

「牛乳もないの。コーンフレークにアイスティーをかけて食べたことはある？」

24
最高の朝

トッツィがきいた。

もしメニューに書いてあったら、魅力的には思えないけれど、トッツィの音楽的な口調で言われると、アイスティーをかけたコーンフレークがほっぺたが落ちるほどおいしそうなものに思えた。

トッツィは、コック長のような優雅なしぐさで手首のスナップをきかせ、ふちの欠けた緑の器にコーンフレークを入れた。それから、思い切り腕を高くあげて、ふちの欠けたティーサーバーからこい茶色の液体を器に注ぎ入れたものだから、紅茶がトムのふとんに飛びちった。

「さあ、どうぞ、トム！　最高の朝をね！　いい朝を！」

「そちらこそ、いい朝を」

「いい朝を」トッツィはくりかえした。

「そちらこそ、いい朝を」トムもまた言った。

「いい朝を」

「そちらこそ、いい朝を」

どちらかがやめなければ、一生「いい朝を」を言い続けることになるだろう。

トムはループをぬけだそうと、お礼を言うことにした。

「ありがとうございます」

「こちらこそありがとう」

「ありがとうございます」

「こちらこそありがとう」

「ありがとうございます」

「こちらこそありがとう」

またただ！　そこで、トムはなにも言わずにうなずくだけにした。すると、トッツィもうなずき返して、アンバーのベッドへむかった。

「おはよう、アンバー。気持ちのいい朝だね。今朝はなににする？」

「おはよう、トッツィ！」

「ああ、おはようさん」

「もうおはよう攻撃はやめてね。今日は気分を変えて、しぼりたてのオレンジジュースと、ブルーベリーのバニラヨーグルトのハチミツぞえと、ナッツとホイップクリームとチョコレートソースのトッピングをしたパンケーキは、やめるわ」

「本当に？」

「ええ。今日は、本当にコーンフレークがいいの。ええと、なにをかけようかな……アイ

24
最高の朝

ステイーにするわ！」

「すぐに用意するよ！」

トムが果敢に、ふだんとはちがう朝食を楽しもうとしていると、トッツィがアンバーの耳になにかささやいた。

「冷凍庫で子どもの足あとと車いすのタイヤのあとが見つかったよ……」

「ええっ！」

「院長のストリラーズ卿が今朝、地下に調べにいったんだ」

「でも、あたしたちじゃないわよ！」

アンバーは、だれにでもわかるくらいしどろもどろでうそをついた。

「あんたたちだとは言ってないよ。だけど、そうじゃないとしたら、だれだろうね？」

「知らない！」

「いいかい、あたしゃ、子どもたちが夜中になにをやってるか、知らないよ。だけど、これからはお願いだから気をつけとくれ」

「ありがとう、トッツィ」

「こちらこそ、ありがとう、アンバー」

「こちらこそ、ありがとう」

「こちらこそ、ありがとう」

「ああ、もう！　お願いだから、ぼくにも朝ごはんをくれよ！　はらがへってるんだ！」

ロビンが怒って言った。

「ああ、そうだね、ロビン！」

トッツィはロビンの器にコーンフレークだけ入れた。もうアイスティーはなかったのだ。

ジョージも同じだったので、ジョージはすっかりふてくされた。

次はサリーの番だ。トッツィは、仕事着の下に小さな白い紙袋をかくしていた。

「ほかの子に言うんじゃないよ。ここにくるとちゅうで、砂糖がけのパンを買ってきたんだよ」

「ありがとう、トッツィ！」サリーはささやくと、トムにきいた。

「トム、半分ほしい？」

トムは心を打たれた。

「ううん、いいよ。サリーが食べて。サリーは力をつけなきゃ」

すると、ジョージが言った。

「オレが半分食う！　もしよけりゃア、半分以上だって食うよ！」

「サリーのパンだろ」トムは言った。

24
最高の朝

「いいの」サリーが言った。

サリーがパンを半分にするのを見て、ジョージはベッドから飛びだした。

「はい、どう――」

サリーが最後まで言う前に、ジョージは半分にわった砂糖がけのパンをとると、一口でむしゃむしゃと食べてしまった。

「ありがてェや、サリー。いつだって手伝うよ」

トムはにっこりしたが、それからふと師長室のほうに日をやると、看護師長がはらを立てたようすで電話で話しているのが見えた。

「ねえ、アンバー。さっき、トッツィと話してたのは、なんだったの?」

「だれかが冷凍室に入ったのが、バレたのよ」

「どうして?」

「足あと。それから、車いすのあとも。あたしたちだって気づかれるかも……」

「そこの二人、なにをこそこそやってるんだい?」

看護師長だった。いつの間にか看護師長がやってきたことに、トムもアンバーも気づかなかったのだ。看護師長は二人のベッドを見下ろすように立った。

「なんでもありません」アンバーが言った。

「うん、まったくなんでもありません」トムも言った。

看護師長(かんごしちょう)は、うそを見やぶろうとするように二人の顔をじろじろ見た。トムは、自分の顔が真っ赤になるのがわかった。

「信じないよ！」看護師長(かんごしちょう)はどなった。

「おまえたちクソガキは、なにかたくらんでるね！」

25 ちがうって言いすぎ

「オレら、なにもしてねェ。ちげェよ、なにかしてたら、って、してねェけど、そしたら、証拠ってモンがあるだろ、だけど、オレらじゃねェ。ちげェって」ジョージが言った。

看護師長はまっすぐジョージの目を見た。どう見ても、納得していない。

「ちがうちがうって言いすぎだね。さっきの電話は院長先生からだったんだよ。クエンティン・ストリラーズ卿ご本人さ。かんかんに怒ってらしてね！　真夜中に地下の冷凍室に足の小さな患者が三人、侵入したそうだよ。あと、車いすのあともあったそうだ。おまえたちだってことは、わかってるよ。ほかにだれだっていうんだい？　さあ、悪がしこいガキども、はくじょうしな！」

子どもたちはだまりこくった。どうすれば言いのがれられるのか、わからなかったのだ。

すると、病室のはしっこから声がした。

「看護師長さん、わたしは一晩じゅう起きていたけれど、みんな、ずっと眠っていました。だから、みんなのはずはありません！」サリーだった。

「ちかうかい!?」

「ええ、ちかいます！　ペットのハムスターの命にかけて！」サリーは胸に手をあてた。

「ふーむ」

そう言われては、看護師長もここでやめるしかなかった。

「いいかい、おまえたち一人ひとりのことをちゃんと見てるからね。さて、トム」

「はい？」トムは恐怖にふるえながら返事をした。

「あと五分でレントゲンをとりにいくからね。頭のちびっちゃいこぶを調べるんだよ。運がよけりゃあ、昼までには退院できるよ」

「はい、看護師長さん」

看護師長はくるりと回れ右をすると、のしのしと師長室へもどっていった。

トムはすっかり悲しい気持ちになってベッドに横たわった。病院の新しい友だちと別れるのは、いやだ。生まれて初めて、自分の居場所が見つかったように感じていたのに。トムのお父さんとお母さんは、お父さんの仕事でしょっちゅう外国へいっているから、自分にはうちと呼べる場所がないような気がしていた。お坊ちゃん学校の聖ウィレットでは、刑務所に閉じこめられているような気持ちにしかなれない。毎日毎日、頭の中で次の休みまでの日にちを指折り数えていたのだ。にげだせればいいのにと、ずっと思っていた。

25
ちがうって言いすぎ

今では、小児病棟の子どもたちみんなに親しみを感じていたけれど、中でも、すみっこにねているサリーには特別な思いをいだいていた。あんな女の子、ほかにいない。

「サリー、さっきは助けてくれて、ありがとう」トムは言った。

「どういたしまして」

「ペットのハムスターの命にかけてちかったのが、ちょっと心配だけど」

「だいじょうぶ。わたし、ハムスターは飼ってないから」

トムとサリーは声をあげて笑った。

26
池の味

「すばらしい知らせだ！　きみには、悪いところはまったくない！」

ルパース先生はうれしそうにさけんだ。

「最高です」トムはまったく説得力のない口調で答えた。

二人はレントゲン室にいた。ルパース先生は、トムの頭部の写っている奇妙な透明の白黒写真を照明の下にかかげて、トムに見せた。

「ほら、ここの輪郭のところに頭のこぶが見えるだろう？　だが、ここの、頭の中を見ても……」

そう言って、ルパース先生はえんぴつをとりだし、トムの脳のある場所を示している灰色の部分を指し示した。

「……かげになっている部分はまったくないだろう。つまり、内部出血はしていないということだ」

「まちがいありませんか？」トムはすがるような思いでたずねた。

26
池の味

「ないよ。まったくすばらしい知らせだ。もうこれ以上、きみはここにいる必要がないんだから」

「ないんですか？」

「ないよ！　今すぐにでも、寄宿学校にもどれるということだ」

「ああ」トムはうなだれて、だまりこくった。

ルパース先生は、トムが退院できると聞いてふさぎこんでいるのを見て、とほうにくれた。ふつう、患者はチャンスができ次第、すぐさまロード・ファント病院からにげだしたいと願ってるのに。

「なにか問題があるのかな、トム？」

「いいえ。ただ……」

「なんだい？」

「その、小児病棟でとてもいい友だちができたんです」

「なら、退院する前にアドレスをもらっておくといいよ。そうすれば、やりとりできるだろう」

ただやりとりするだけなんて、たいくつに思えた。トムはもっと冒険がしたいのだ。

「看護師長さんにたのんで、すぐに校長先生のところに連絡して、できるだけ早くむかえをよこしてもらおう」
もう一晩、新しい友だちといっしょに冒険をしたいなら、今すぐに手立てを考えないと
ならない。
「先生、なんだか、ひどく暑いんです！」
寄宿学校では、熱があれば授業を休んで、保健室で横になっていることができた。この
方法は、木曜の午後、二時間ぶっ続けの算数からにげだすときなんかに、特に有効だった。
ほかの生徒がものすごく熱くなってるヒーターに体温計の先っぽをくっつけて、病気のふ
りをしたのを、見たことがある。
「本当に？」
ルパース先生はトムのおでこに手をあてたが、納得できないようすだ。
「本当です！　体じゅうが燃えてるみたい！　熱くて飲めない紅茶のカップよりも、熱い
くらい！」
ルパース先生はポケットから体温計をとりだすと、トムの口の中に入れた。なんとかし
て、先生の注意をそらさなければならない。
トムはもごもごしながら言った。
「水を一ぱいいただけますか？　至急お願いします！　じゃないと、自然発火しちゃいそ

26
池の味

う！」

「たいへんだ！」

ルパース先生はうろたえた声で言うと、部屋に飛びこんでしまった小鳥みたいにレントゲン室をぐるぐる回った。そのすきにトムは口から体温計を出して、めちゃめちゃ熱くなっている電球に近づけた。たちまち温度があがったので、また口の中にもどしたけれど、そのときちょっぴり舌をやけどしてしまった。

ルパース先生は花びんを持ってもどってきた。

「コップが見つからないから。悪いけど、これでせいいっぱいなんだ」

そして、トムの口から体温計をとって、花びんの花を引きぬいた。底のほうに、茶色いものがぷかぷかうかんだ緑色の水が残っていた。

「ぜんぶ飲むんだよ！」ルパース先生は命令した。

トムはしぶしぶくさった液体をすすった。

「しっかり飲むんだ！　一滴も残さず！」

トムはぎゅっと目をつぶって、残りを飲み干した。池の味がする。そのあいだに、体温計を見たルパース先生は、恐怖のさけびを発した。

「うわあ！」

「なんです？」

「人類史上、最高記録だ！」

トムは、やりすぎたかもしれないと心配になった。

「賞がもらえますか？」

「もらえないよ！　平熱にもどるまでは、病院にいてもらわなきゃならない」

ルパース先生はさっとカルテをとりだすと、記入しはじめた。

「頭痛はありますか？」

「あ、はい」

「熱は？」

「あります！　燃えそうに熱いです！」

「ひやあせは？」

「はい、急にこごえそうになってきました」

「関節のいたみは？」

26
池の味

「えー、あります」

「視界がかすんでいますか？」

「はい。ああ、見えない。ぼくに話しかけてるのはどなた？」

「のどのかわきは？」

「カラカラで答えるのもつらいくらいです」

「体のだるさは？」

「もう答える力がありません」

「耳は聞こえますか？」

「すみません、今、なんておっしゃいました？」

「お小水のとき、いたみは？」

「ええ、おしょうさんを見たときにいたみがありました」

「意識がはっきりしていませんか？」

「いるような、いないような。先生、とにかくぜんぶの症状があるんです！」

ルパース先生の体じゅうからあせがふきだし、先生はパニックでうろたえた声で言った。

「たいへんだ、たいへんだ、たいへんだ！　たいへんだ、たいへんだ、本当にたいへんだ！

きみがまだ生きているのは奇跡だよ。検査を百個くらいやらなきゃ。心臓検査、血液検査、脳検査。できる検査はすべてやろう。まっすぐ小児病棟にもどってもらうよ！」

声には出さなかったが、トムは頭の中でさけんだ。

（やった！）

「看護師さん、看護師さん！」

ルパース先生は今にも気絶しそうなようすでさけんだ。

病院に運ばれてきたときに会ったミース看護師が、レントゲン室に飛びこんできた。

「今度はなんです？」

「緊急事態だ！　この子を検査しなければ！　今すぐに！」

「なんの検査です？」

「ぜんぶだ！　考えられるかぎりすべての検査をしなくちゃ！　担架を二台たのむ！」

「なんで二台も？」ミース看護師がきいた。

「ぼくも気絶しそうだから！」

27 飛ぶ?

ルパース先生のリストアップした膨大(ぼうだい)な検査(けんさ)の結果をまっているあいだ、看護師長(かんごしちょう)はトムにぜったいにベッドを出ないようきびしく言いわたした。高熱が出ているのだから、なにが起ころうとベッドをはなれることはまかりならない。ロード・ファント病院のお医者さんたちは、トムのどこが悪いのかをつきとめなければならなくなった。新米医師(いし)のルパース先生は、パニックを起こして気を失ってしまったからだ。病院にきて一週間もたたないうちに、ルパース先生は医者から患者(かんじゃ)になったわけだ。

トムがベッドにもどってくるとすぐに、サリーは言った。

「さあ、トム、話してちょうだい……」

「なにを?」

「……昨日の夜、なにをしたかを」

トムはためらった。

「悪いけど、言えないんだ」

「約束したじゃない」

「わかってる、わかってるってば。サリー、ごめん。だけど、みんなに、秘密にしなきゃいけないって言われたんだ」

「なにを秘密にしなきゃいけないの？」

「秘密のことを」

「言っちゃったら、秘密にならないだろ」

サリーにあきらめる気はなかった。

「わかった。じゃあ、昨日の夜、地下の冷凍室でなにをしてたの？」

アンバーも聞いていたにちがいない。会話にわりこんできたからだ。

「ちょっと、サリー。大人たちにバレそうなのよ。院長も、なにかおかしいって気づいてる。だから、いい？　知ってる人が少なければ少ないほどいいのよ。ぜんぶ知っちゃったら、そっちもめんどうにまきこまれんのよ」

「わたしだって、めんどうにまきこまれたいのよ！　みんなが外で楽しんでるあいだ、ひとりぼっちでおいていかれるのは、もういや！」

「知らないほうが、身のためなの」アンバーは言った。

27
飛ぶ？

「だれにも言わないから。昨日の夜のことだって、かばってあげたじゃない」

サリーは必死になって言った。

「それはわかってるって。そのことは感謝してる。今晩もまた、かばってもらわなきゃならないかもしれない」

「今晩もどこかへいくの？」トムはきいた。そんな危険をおかすなんて、信じられない。

「もちろんだよ！　今夜はオレの番なんだから」

ジョージが、むかいのベッドでチョコレートを口につめこみながら言った。

「なにをするの？」トムはきいた。

「飛ぶ」ジョージは答えた。

「うわあ、かんべん！」ロビンが言った。

「『うわあ、かんべん！』ってどういうことだよ？」

大きくなった声が、看護師長までとどいたにちがいない。師長室から飛びだしてきたからだ。

「今度は何事だい?!」

「なんでもありません！　だいじょうぶです」アンバーは答えた。

「ほう？　なんでもない？　この病棟はとんでもないうそつきのチビどもばかりだね。そろそろあたしのシフトが終わる。代わりにミース看護師がくるからね。これから夜までは、ミース看護師が小児病棟の責任者だ。あたしはそのあとまた、もどってくるよ。あんたたちのだれかがなにか悪さをしたってわかったら、全員ここから追いだして、別の病院にやるからね。わかったね？」

「はい、看護師長」子どもたちは声をそろえて言った。

「いいだろう。サリー、もうすぐ下にいって、治療だよ」

「いかなきゃだめですか？」

「バカな子だね！　いかなきゃだめに決まってるだろう！　なんのためにここにいると思ってんだい!?　遊ぶためかい？」

「いいえ、看護師長」

そのとき、背の高いドアが勢いよく開いて、ミース看護師が入ってきた。

「おはようございます、看護師長。おはよう、子どもたち」

「おはようございます、ミース看護師さん」子どもたちは声をそろえて言った。

「おはよう、ミース」

「熱はどうだね、トム？」

ミース看護師はたずねた。トムが仮病を使ってるんじゃないかと疑っているような口ぶりだ。新米のルパース先生よりずっと経験があるから、そう簡単にはだまされないのだ。

「まだ信じられないくらいの高熱です」トムは答えた。

「この子はぜったいにベッドから出すんじゃないよ！　なにがあってもね！」

看護師長が大声で言った。

「はい、看護師長。お任せください。まちがいのないようにしますから」

ミース看護師はそう言いながら、疑わしげにトムをじろりと見た。

28

不可能な夢

その日の午後、ミッドナイトギャングは夜の冒険の計画を立てはじめた。ジョージの夢は、飛ぶことだ。これは、かなり考えないとならない。病院の上層部があやしんでいるとあれば、なおさらだ。

サリーは特別な治療で下の階にいっている。ミース看護師も師長室にいたから、子どもたちは話し合いをはじめた。

ロード・ファント病院の小児病棟には、ボロボロになったボードゲームがいくつかおいてあった。すごろくのサイコロはなくなっているし、かわいらしい白い子ねこが風船と遊んでいる絵柄のジグソーパズルも、ないピースがたくさんある。〈パズルクラッシュ！〉は、制限時間内にパズルをはめられなくても、コマが飛びちらなかった。

トムとアンバーとジョージとロビンはいっしょにジグソーパズルをやっているふりをしながら、今夜の冒険についてひそひそと相談した。

「シーツとカーテンのポールを使ってグライダーを作るのはどう？　用務係さんが組み立

28
不可能な夢

てるのを手伝ってくれるよ」ロビンが言った。

「どこで飛ばすのよ？　病院にはグライダーを飛ばせるような高い場所がないでしょ」

とアンバー。

「階段があるじゃん。この病院は四十四階建てなんだよ。飛びおりたら、かなりの高さになるはずだよ」

「あのさ」とジョージ。「ぼくは飛びたいんだ。死にたいンじゃない！」

「グライダーもあるって」

「それって、シーツをポールに結びつけたもンだろ？　ンなの、グライダーじゃない！」

ジョージはちょっと大きすぎる声で言った。

みんな、いっせいに師長室を見たけれど、ミース看護師はせっせと書類を書いていた。

「なら、そんな実現不可能な夢を持たないことね！」アンバーが言った。

「だけど、むかしからの夢だったンだ。体が重いのがさ、いやなンだよ」

ジョージがぴしゃりとたたくと、大きなおなかがふるふるとゼリーみたいにふるえた。

「空気みてェに軽いとどんな感じか、知りたいンだ！」

トムはみんなの話を聞きながら、解決策がないかずっと考えていた。目の前の折りたたみテーブルにジグソーパズルのピースをおいたとき、解決策がこちらの顔をじっと見つめていることに、はっと気づいた。

「風船だ！」

「え？」ジョージがききかえした。

「飛びおりるんじゃない。上にあがるんだ！」

「ちゃんと説明してくれると、ありがたいんですけど！」アンバーが言った。

「ほら、誕生日パーティとかで、ぷかぷかうかぶ風船を使うときがあるだろ？」

興奮したトムの口から言葉が転がり出た。ほかの子たちは、うんうんとうなずいた。

「じゅうぶんな数を手に入れられれば、ジョージは階段の下から上へうかぶことができるよ！」

ジョージはにっこりした。

「トム、すげェいい考えじゃん！」

「イギリスにある風船で足りるか？」ロビンがちゃちゃを入れた。

「おもしろくねェし！」

「病院のあちこちから集めれば、足りるんじゃないかな。患者さんのベッドによくむすんであるだろ。ほら、そこにも！」

トムはサリーのベッドのほうに目をむけた。サリーのベッドの頭のほうに、〈よくなってね！〉とかかれた風船がぽつんとむすばれていた。天井すれすれのところにうかんでいる。

28
不可能な夢

「あたしったら、天才的なアイデアね！」

アンバーはなにがなんでも主導権をとりもどそうとした。新入りに出しぬかれたのが、気に入らないらしい。

「え？」トムは文句を言おうとした。

「あたしもちょうど、風船を使おうって言おうとしたところだったのよ」

アンバーはうそぶいた。

「だろうね！」トムは言い返した。

「ほらほら、おじょうさんたち、けんかするなって！」ロビンがじょうだんを飛ばした。

「病院の中に百個はあンな！　一階のギフトショップでも、山ほど売られてンだ。よくこっそりおりていって、チョコバーを買ってンだよ。あそこっから、ぬすんでくりゃア、いいンだ！」ジョージが興奮して言った。

「借りる、だろ！」とトム。

「そうだよ、トムの言うとおりだ。借、り、る、だ、け。『ぬすむ』なんて人聞き悪いだろ」

ロビンも言った。

「必要な数だけ借りられたら、オレ、階段のてっぺんまでうかびあがれる。ついに空を飛べるンだ！」

ジョージはうれしさで顔をかがやかせた。計画はシンプルなのがいちばんだ。

「用務係さんに話そう！」

あとは病院じゅうから風船を百個以上、集めるだけでいいのだ——しかも、つかまらないように。

29
風船、風船、また風船

日が落ちれば、いたずらの時間だ。

夜になると、看護師長はまた夜勤でもどってきた。子どもたちは一日じゅうジグソーパズルをしていい子に過ごしていたということで、ミース看護師から特に報告はなかった。

小児病棟にもどってそんなにたたないうちに、看護師長はまた新聞販売店のラジがジョージに送ってきたチョコレートのかんをばっしゅうした。師長室に入っていって、お気に入りの紫の包み紙のチョコをガツガツ食べたところ、今度もまたジョージが特製の睡眠薬をしのばせていたから、あっという間にゾウのようないびきをかきはじめた。

「グォオオオオオオ、グォオオオオオオ、グォオオオオオオ！」

計画のこの部分は必ずうまくいく。

さあ、これから病院じゅうの風船を一つ残らず手に入れなければならない。必要なのは、風船、風船、また風船、だ。

子どもたちは三チームに分かれた。

チーム1はアンバーとロビン。二人で力を合わせ、病院の最上階の小児病棟から三十階までを受け持つ。

チーム2はジョージだ。ジョージは一人で、二十九階から十六階までを担当する。

チーム3はトムと用務係。二人に課されたのは、もっとも危険な任務だ。十五階から一階までの風船を集める。つまり、ヘリウム風船がどっさり売られているギフトショップがふくまれる。

ビッグベンがすぐそばで真夜中の十二時をつげると、男子たちはベッドをぬけだして、アンバーを車いすに乗せた。トムとジョージは足音をしのばせて、両開きドアから外のろうかに出た。

「一個目がすぐ左にうかんでるじゃない」アンバーがロビンにむかってささやいた。

目が見えなくても、アンバーが言っているのがサリーのベッドに結びつけられている風船のことだというのは、ロビンにもわかった。

「アンバー！　かんべんしてよ！」

「なによ？」

「アンバーが、自分で自分をミッドナイトギャングのリーダーにしたのはわかってるけど、

29
風船、風船、また風船

サリーの風船をとるなんてできないよ！」

「どうしてよ？」

「できないから、できないんだ！」

「ロビン！　一個でも多くの風船がいるのよ。すぐにサリーのベッドまで車いすをおしていって！」

「やだよ！」

「早く！」

すると、暗闇から声がした。

「いいわよ。あげる」

「サリー、いいの？」アンバーがたずねた。

「うん、いいわよ。なにに使うの？　また冒険？」

ロビンは小さなサリーのベッドまでアンバーの車いすをおしていった。サリーは、いつもよりもさらに弱々しく見えた。治療はもちろん病気をよくするためなのだけど、治療後しばらくは、よけい具合が悪くなるのだ。今夜のサリーは、ひときわ顔色が悪かった。

「風船は『借りる』だけだから」アンバーが言った。

「持っていって。どうせいらないし。一日じゅうぷかぷかうかんでるだけだもの」

「そうか、えっと、ありがとう。すごく助かるよ。じゃあ、ぼくの手を風船のひものところまで誘導してくれる？　そうしたら、結び目をほどけるから」

アンバーが見ていると、サリーはロビンの手をとって、風船のひものところまで持っていった。でも、そのまま放そうとしない。

「わたしも連れてって」サリーは言った。

ロビンはひもをほどきはじめた。

「ごめんね、サリー。だけど、いっしょにくるのは無理」アンバーが言った。

「どうして？」

「だって、どうしてもっていうなら言うけど、これは秘密のギャングで、もうメンバーはいっぱいだし、今のところ新しいメンバーも募集してないのよ」

29
風船、風船、また風船

「でも、トムのことは入れたじゃない！」

サリーは言った。たしかにそのとおりだ。

「トムは入院してまだ一日目だったのに、いっしょに冒険にいったでしょ」

「うん、でもほら……それとはちがうし」

アンバーは言葉を探しながら言った。

「どうして？」

「それは……だって……じゃあ、はっきり言うけど、サリー、あんたがきたら、すばやく動けないもん！」

それを聞いたとたん、サリーのほおを大粒の涙がこぼれ落ちた。

それを見て、アンバーも泣きたくなった。そうじゃなくても、サリーを見るだけでも、悲しい気持ちになるのだ。髪の毛がほとんどなくて、肌が青白くて、まるで陶器みたいだ。

陶器みたいだから、とりあつかいに注意しなきゃならないような気がする。

「ごめん。本当ならハグしてあげたいんだけど、両腕ギプスだからできない」

アンバーは言った。

いつもは親切な一面を毒舌でかくしているロビンは、サリーの頭をそっとなぜた。

「わかってる。置いてけぼりになるのは、なれてるの。この病気にかかって以来ずっと、これをしちゃだめ、あれもしちゃだめと言われ続けてるから。でも、一日じゅうベッドでねてなきゃいけないのって、すごくたいくつなのよ。わたしだってふつうの女の子にもどって、楽しいことをしたい」

そして、サリーはため息をついて、言った。

「風船は持っていって。最高の冒険をしてきてね。どんなことをするつもりかは、知らないけど、でも、約束してほしいの……」

「なんだって、する」アンバーは言った。

「……次の冒険には連れていって。ね？　そのころには、元気になってるから。なってるって、わかるの。約束する」

アンバーはほほえんだけど、なにも言わなかった。うその希望を与えたくなかったのだ。

それからロビンに、車いすをおすように言った。

29
風船、風船、また風船

「急いで、ロビン！　早く！　いかなきゃ！」

「ごめんな、サリー」

ロビンは言うと、サリーの風船を持ち、アンバーの車いすをおして重たい両開きドアへむかった。

「いた！」アンバーは、ドアにギプスの足をぶつけてさけんだ。

「ごめん！」

サリーはクスクス笑って、二人を見送った。

「がんばってね、ギャングのみんな」サリーはつぶやいた。

30 むかしの友だち

チーム2、またの名をジョージは、自分の担当のフロアでせっせと作業を進めていた。両手を床についていて、こそこそと病室をはいまわり、すでにかなりの風船を患者さんたちから「借りて」いた。どれも〈よくなりますように！〉と書かれていて、大切な家族や友だちからもらったものにちがいない。でも、ジョージはすっかりうきうきしていて、うしろめたい気持ちにはならなかった。風船が一つ増えるごとに、飛ぶという夢に近づいていくのだ。たくさんの風船を持ったまま、ベッドに結びつけてある風船のひもをほどくのは、ちょっとむずかしかった。そのうちジョージの両腕両脚は、結びつけられた風船でいっぱいになった。でも、もっと、もっと、もっと、必要だ。

二十九階の最後の病室からはいでたとき、名前を呼ばれた……。

「ジョージ？」

どこにいてもその声ならわかる。地元の新聞販売店の店長の声だ。

「ラジ？」

30
むかしの友だち

「そうだ！　わたしだよ、ジョージ！　わたしのいちばんのお気に入りのお客さんだからね！　わたしが送ったチョコレートのかんはとどいたかい？」

「うん、めっちゃありがとう！」

「おまえさんが扁桃腺をとんなきゃならないって聞いたときは、心配したよ」

「今じゃ、だいぶよくなったよ。あンがと、ラジ。チョコのおかげで、マジ元気が出たよ」

ラジはにっこりした。

「そりゃよかった、よかった、本当によかった。なにしろわたしの店でもいちばんのチョコレートだったからな。二、三年前のクリスマスのやつの残りなんだ。二、三年しか、賞味期限もオーバーしてないからね」

「それだって、ありがたかったさ、相棒」

「また店においで、ジョージ。おまえさんがこなくなっちまってから売り上げも落ちてな」

ジョージはクスクス笑った。

「もちろんさア！　ところで、病院なんかでなにやってンの？」

ラジは体を起こした。パジャマ姿で、指にほうたいをまいている。

「二日前の夜に、ホチキスの大事故にあっちまってな。店で商品に値段をくっつけてたんだ。超お買い得価格さ。えんぴつ百本を九十九本分の値段で、とか、タフィー一トンで、タフィー一個がおまけについてくる、とか。あて名を修正液で消した使用ずみ誕生日カードなんて、半額だよ！　そしたら、どうしてか自分の指までいっしょにホチキスでとめちまったんだよ」

「いてェ！　聞いただけで、いてェよ」

「いたかったさ。ホチキスで自分の指をとめるのは、ぜったいに勧めないな」

　ラジは悲しそうに言った。

「覚えておくよ、相棒。えっと、まだここにいたいンだけど、ちょっくら用事があるからよ……」

　ジョージがそそくさとその場を立ち去ろうとすると、ラジに呼び止められた。

「ジョージ？」

30
むかしの友だち

「なんだい、相棒（あいぼう）？」

「そんなに風船を持って、なにしてるんだ？」

「うーんと、うーんと、これぜんぶ、オレの風船だよ、だろ？」

ジョージはもごもごと言い訳しようとした。

「ほんとに？」

「ああ」

「ぜんぶ？」

「そうだよ、相棒（あいぼう）」

ラジの顔を見れば、納得（なっとく）していないのがわかった。

「そっちの風船には、〈ママ、早くよくなって！〉って書いてあるぞ」

「風船ショップでまちがえちまったンじゃないかな？」

ラジは釈然（しゃくぜん）としないようすでたずねた。

「そうか？　だけど、おまえさんの風船がどうしてこんなところにあるんだ？　小児病棟（びょうとう）は、いちばん上の階だろう」

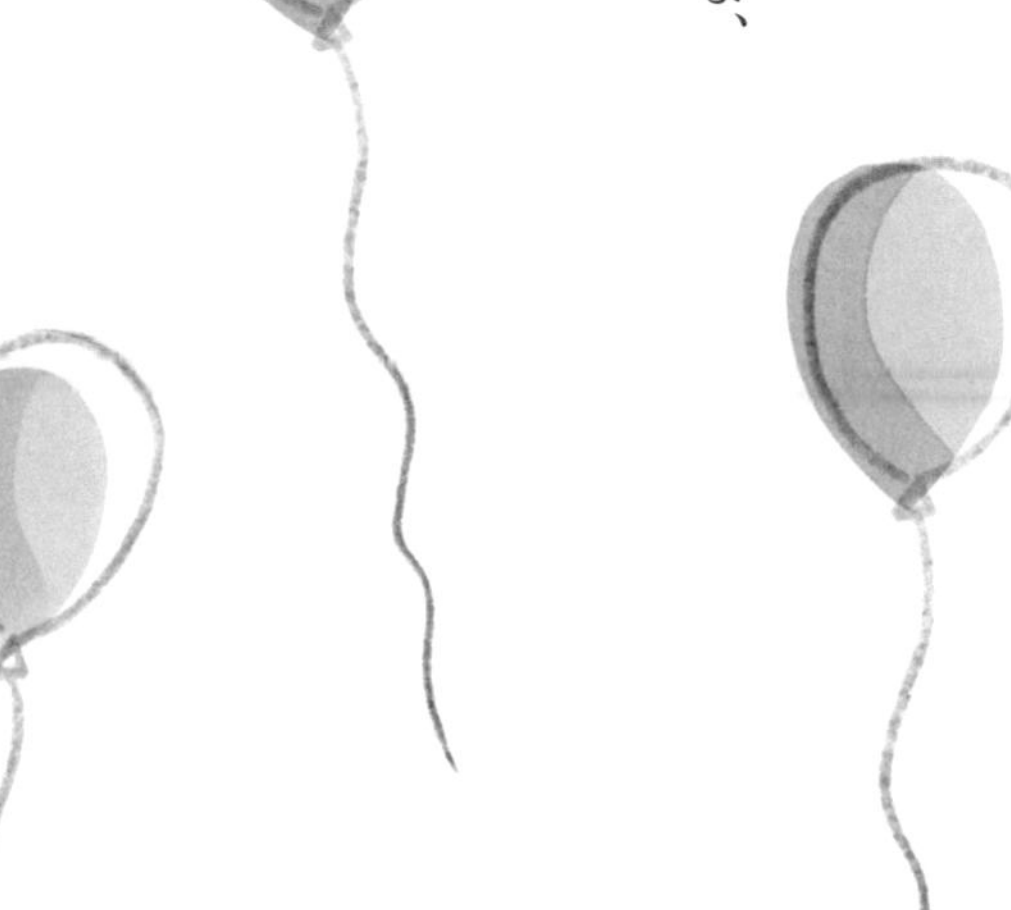
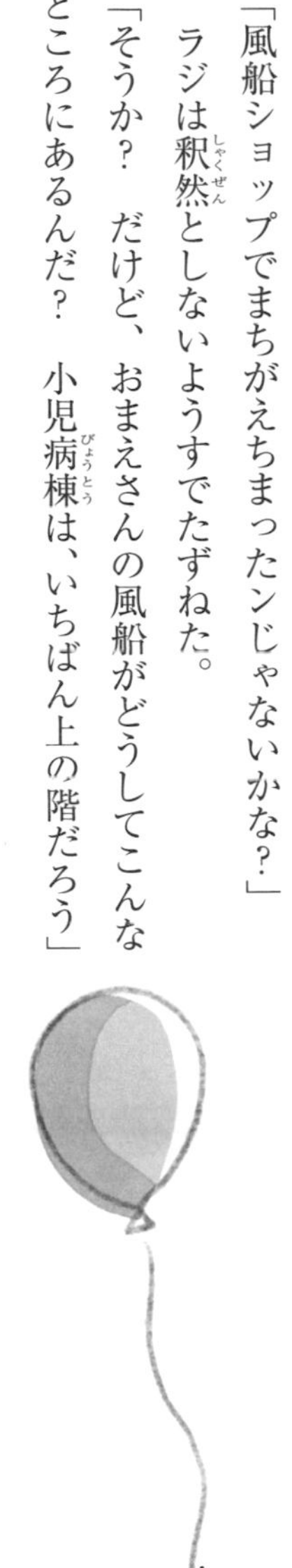

ジョージは一瞬、考えこんだ。

「ふわふわおりてきたンじゃねェか？」

「風船っていうのは、ふわふわあがってくもんだろ？」

「あのさ、一晩じゅう、おしゃべりしてるわけには、いかないンだ」

ジョージは出ていこうとした。

「まってくれ、わたしのいちばんお気に入りのお客さん！　おまえさんの大好きなラジのために一つたのまれちゃ、くれないか？」

「悪いな、相棒。もういかなきゃ」

「ほんの一瞬ですむことなんだ。たのむよ、いちばんお気に入りのジョージ！」

ジョージはため息をついた。

「どんなこと？」

「いやな、病院の食事があまりにもひどいんだ。トッツィというとても感じのいいご婦人がワゴンで回ってきて、なんでもあるって言うんだよ。だけど、なにをたのんだって、結局三角チーズとソース一袋しか出てこないんだ」

「ああ、わかる。ラジもオレも食うのが大好きだからな」

「そうなんだよ！」ラジはおなかをぴしゃりとたたいた。

30
むかしの友だち

「だからチョコレートのお礼に、おまえさんの大好きなラジのために出前を注文してもらえないか？　本当なら自分で電話すればいいんだが、ホチキス事故のせいで指が使えないんだよ」

そう言って、ラジはほうたいをまいた指をかかげてみせた。

「あとでもう一度くるンでいい？」

ラジは、中にビーチボールでも入ってるように見える大きなまんまるのおなかをまたぴしゃりとやった。

「そのころには、もう弱り切ってるかもしれない。だから、今、注文をしてくれないか？」

「書きとめたほうがいい？」

「だいじょうぶ、だいじょうぶ！　そんな必要はない。ほんの少しだから。簡単に覚えられるよ」

「わかった、じゃあ、言ってみて……」

「すまんな。えっと、玉ねぎのバージだろ、サモサだろ、チキン・ジャルフレージーだろ、アルーチャートだろ、タンドリーエビのマサラだろ、ポパダムだろ……」

「頭がおかしくなっちまうよ！　そんなのぜんぶ、覚えられねェ……」

ジョージは口をはさんだが、ラジの目は今やらんらんとかがやき、おいしい食べ物のことを考えてよだれがたれそうになっている。

「だいじょうぶ、だいじょうぶ！　簡単（かんたん）に覚えられるよ。あと少しだから……野菜のバルチだろ、ナッツとレーズンの入ったナンだろ、アルーゴビだろ、マターパニールだろ、レンズマメのカレーだろ……」

「紙とペンがいるよ！」ジョージはパニックを起こしてさけんだ。

「ポパダムだろ……」

「ポパダムはさっきもう言ったよ、相棒（あいぼう）！」

「わかってるよ。ポパダムは二つ、ほしいんだ！　あとは、マンゴチャツネ、パニールマサラ、ピラフライス、バハタ、チャナアル、子羊のローガンジョシュ。これでぜんぶだ。あ、ポパダムは言ったっけ？」

「言ったよ！　二回も！」

「よかった。ポパダムはいくらあったって、多すぎるってことはないんだ。そうだな、やっぱりポパダムは三つにしておこう。よし、じゃあ、注文をくりかえしてみてくれ」

　ようやくラジのもとから退散（たいさん）すると、いちばんいいのは、もよりのインド料理のお店でメニューにあるものをすべて注文することだと、ジョージは考えた。さらに、ポパダムは

30
むかしの友だち

四つ注文しておけば、三つじゃ足りなかったとなった場合も安心だ。

さて、ジョージはろうかに出ると、一階におりるのにエレベーターのボタンをおした。ありえないほど高い階段のいちばん下でみんなとまち合わせなのだ。

チン！

エレベーターのドアが開くと、中に昨日の夜に会ったヘビースモーカーのそうじ係のおばさんが乗っていた。床清掃機のハンドルにつかまって、またもや火のついたタバコが下唇にひっついている。そうじ係のディリーは、手足に山のような風船を結びつけているジョージを見て、あんぐりと口を開けた。

かなりの数の風船が集まっていたから、ジョージは体が少し軽くなったような気がしはじめていた。大量の風船のあいまから、ようやく頭だけがちょこんと見えている状態だ。

「今度はなにをたくらんでるんだい？」

ディリーのタバコから、棒状の灰がポコッと落ちた。

ジョージは明るく言った。

「やあ、また会ったね！　昨日の夜の清掃状況は言うことねエよ！　だから、この調子でたのむよ。ただ、床にタバコの灰が落ちてるのが見つかったンだ。もちろん、あんただと決まったわけじゃ……」

「風船をそんなにたくさん持って、なにしようって言うんだい？　このタバコで片っぱしからわってやってもいいんだよ！」

風船が勝手にふわふわおりてきた説は、ラジにもあまり納得してもらえなかったので、ジョージは別の説明を試みた。

「めちゃめちゃ人気者の患者さんがいて、そこへとどけるとこなンだ。ほんと、毎日何千って風船が送られてくンだよ。だから、どうぞ、オレは次のエレベーターに乗るから」

チン！

ディリーの目の前でドアが閉まった。

ジョージはいらだってじだんだをふんだ。真夜中にベッドをぬけだしているのを、病院のスタッフに見られてしまったのだ。夢を実現したいなら、ミッドナイトギャングはすばやく行動を開始しないとならない。

31 世界一歳とった子ども

そのあいだ、数階下の階では、チーム3が風船を探して寝静まった病棟をすばやく移動していた。見られないように床の上をはっていくのは、苦労だ。おまけにトムも用務係も何十という風船を持っているので、さらにややこしい。

もう真夜中もすぎ、聞こえるのは患者の寝息だけだ。ほとんどが、おじいさんやおばあさんだった。

「グウウウウ　グウウウウ　グウウウウ」

看護師たちは、ナース・ステーションで待機しているけれど、夜中はそんなにすることもないから、うとうとしたり、本を読んだりしている。トムと用務係が病室のはじの大きな両開きドアからはいでようとしたとき、おばあさんの声がした。

「あらまあ！　きれいな風船ね！　わたしに？」

トムが見ると、用務係は静かにするようにとくちびるに指をあてた。

「わたしにかかってきいたのよ。風船は大好きなの」

さっきよりも一段と声が大きい。無視するのは無理だ。もう一度おばあさんがなにか言えば、ほんの数歩先のナース・ステーションでうとうとしている看護師が起きてしまうだろう。

トムは顔をあげた。ありえないくらい歳とったおばあさんが、ベッドの上で体を起こしていた。顔はしわしわで、髪は雪みたいに真っ白だ。ほかの患者みたいに、まくら元にカードや花はかざられていない。テーブルの上はなにもなくて、水差しとプラスチックのコップだけがおいてあった。

「いこう！」

トムは用務係にむかって言った。このままいってしまいたかったけれど、用務係はなんとも言えない顔をしている。

用務係は首をふって言った。

「トム坊ちゃん、このまま無視していくなんて、できません」

「こんなにきれいな風船を見たのは、生まれてはじめてよ。本当にすてき！　だれが送ってきてくれたの？　お父さまかしら？」

おばあさんは九十代か、それ以上に見えた。長い年月のせいで、ひなたにおかれていたフルーツみたいにしわしわにちぢんでる。おとろえたのは、おばあさんの体だけではない

31
世界一歳とった子ども

ことにトムは気づいた。お父さんがまだ生きているということは、頭のほうもおとろえてしまったにちがいない。まだ生きてるはずはないんだから。

トムはとほうにくれた。なんて言えばいいか、どうすればいいか、なにも思いつかない。

トムは立ちあがった。風船がゆらゆらとゆれる。トムは用務係にささやいた。

「おばあさんのお父さんがまだ生きてるってことは、ないよね？」

「もちろんです。あのおばあさんはネリーといって、九十九歳なんです。家族はもうだれも残っていません」

「どうする？」

「ネリーは自分がまだ小さい子どもだと思っているんです。ですから、こちらも合わせなければ。わたしに任せてください」

用務係はネリーのほうにむきなおった。

「そうですよ、ネリー。お父さまから送られてきたんです」

用務係はいちばんネリーの近くにあった風船を差しだした。数台前のベッドからとったものだ。ちょっぴりしぼんでいたけれど、〈おじいちゃん、だいすき〉と書かれている。でも、ネリーの目には入らなかったみたいだ。ネリーは顔をかがやかせてひもをにぎりしめた。

「ああ、とっても気に入ったわ。本当にきれいね！　あなたもとってもすてきな方ね、これをとどけてくださったんだもの」ネリーはやさしい声でささやいた。

トムは用務係のほうを見た。今まですてきだなんて言われたこと、ないんじゃないかと思ったから。

「お父さまから、メッセージもある？　いつむかえにきてくれるのかしら？」

用務係が言葉を失っているのを見て、トムはすかさず答えた。

「すぐですよ、ネリー。もうすぐお父さまに会えますから」

「本当に？」

「ええ、本当です」

「まあ、うれしい！」

おばあさんがにっこりほほえむと、みるみる年月がとけていった。本当に、また小さな女の子にもどったみたいに。

「そろそろいかないと」トムは言った。

「これからまた、病院にいるわたしみたいな子に風船をとどけるの？」

「そうなんだ。それが、ぼくたちの仕事だから」

のどにかたまりがこみあげ、声がかすれた。

「すてき！　風船、たくさんあるものね。飛んでいったりしないようにね。うふふふふ！」

トムと用務係（ようむがかり）は顔を見合わせた。ネリーのほうが一歩先をいってる。

「いかないと！」用務係（ようむがかり）が言った。

「またすぐに会いにきてね」

新しいおもちゃに目をかがやかせながら、おばあさんは言った。

二人は足早に背（せ）の高い両開きドアから外へ出た。大量の風船がそのすぐうしろに続いた。

32 風船どろぼう

午前二時だ。病院のギフトショップはとっくに閉まっていた。トムはウィンドウに顔をおしつけて中を見てみた。大量の風船がかざられている。

どれもガスを入れたばかりで、天井にくっつくようにうかんでいるようすは、超特大の花束みたいだ。

「あれをなんとか手に入れましょう、トム坊ちゃん」用務係が言った。

「だけど、どうやってお店の中に入る？　かぎがかかってるよ！」

「そうですね。でも、なんとかして入らないと。時間はどんどんすぎていきますからね。ジョージ坊ちゃんをがっかりさせるわけにはいきません。今日は、ジョージ坊ちゃんが主役なんですから」

ろうかのおくのほうから、機械音が聞こえてきた。

ウィーーン

そうじ係のディリーだ。

32
風船どろぼう

トムと用務係は青くなって顔を見合わせた。

ろうかのむこうからディリーがゆっくりとやってくる。ぐいぐいと床清掃機をおしながら、ぽとぽととタバコの灰を落としてる。そして、清掃機のスイッチを切ると、大きなかぎ束をとりだして、ギフトショップのドアのかぎを開けた。

そしてまた、清掃機のスイッチを入れた。

ウィーーン

ディリーはお店の床をそうじしはじめた。今度もまた、タバコの灰をそこいらじゅうにまきちらしてる。

二人の風船どろぼうは顔を見合わせ、にやりと笑った。チャンスだ。

清掃機の音が、二人が店に入るときの足音をかき消してくれた。

ウィーーン

ディリーが背をむけているすきに、すばやく店のおくの風船のところへいく。そして、持てるだけつかみとると、すでにそうとうの量のある風船の束に加えた。

ウィーーン

ところが、ちょうど出口まできたとき、清掃機の音が止まった。

トムはこわくてふりかえれなかった。

「ちょいと！　今夜は、風船風船って、いったいどういうことだい？　なにをするつもりなのか、はくじょうしてもらおうか！　えっ！」

「ああ、ごきげんよろしゅう、ディリーさん！」用務係は回らない舌で言った。

「あんたかい！　そうだね、そうに決まってるよ！　あんたはいっつもよからぬことをたくらんで病院をうろうろしてるんだ」

「そんなことはありませんよ！」

用務係は、ぶかっこうにゆがんだ顔になんとか笑みをうかべようとした。

「トム坊ちゃんといっしょに、この風船を小児病棟に持っていくところなんです」

「いったいなんのためだい？」

「バルーンアートのコンテストをするんです！　風船を使って動物を作るんですよ」

トムもすかさず言った。

「作るのは、アナグマとフクロウなんです。ごぞんじのとおり、両方とも夜行性ですからね。夜しか、出てこないんですよ」

「そんなこと、信じないね！　二人とも、うそをついてるんだろう。おまえたちクソガキどもで、なにか悪だくみをしてるにちがいないよ。店の風船をぬすむなんて、ゆるされるわけないだろうが。今すぐ警備員に報告してやる！」

32
風船どろぼう

「そんな！　どうしよう？」

「にげましょう！」

二人は出口に突進した。用務係は細くやせおとろえた脚をひきずってトムを追いかける。

トムはドアにかぎ束がぶら下がっているのに気づき、すかさずかぎを回してディリーを中に閉じこめた。

ディリーは怒りくるって、ドアのガラスをたたいた。

ドン！　ドン！　ドン！　ドン！

「ここから出せ！」

ディリーはまたもやタバコの灰をまきちらしながら、どなった。

けれども、二人の風船どろぼうは何百という風船をうしろにしたがえたまま、ろうかをかけていくところだった。

33 空飛ぶおばあさん

「おそいわよ！」

トムと用務係がようやくまち合わせ場所にいくと、アンバーがどなった。となりに立っているジョージも、きげんがいいとは言えない顔をしている。3チームが集まったのは、高い階段のいちばん下だった。階段は、病院のいちばん下の階からいちばん上の階までずっと続いている。全員、大量の風船を持っていたが、もちろん、ミッドナイトギャングの影のリーダー、アンバーはいちばんたくさん持っていないと気がすまない。というわけで、アンバーは、二、三百はあろうという風船を車いすに結びつけていた。おかげで、車いすはほんのわずかだけど床からうきあがっている。あと一つ風船をつければ、空中にうかびあがりそうだ。アンバーとロビンが、ジョージの夢をかなえるためにそうとうがんばったのはまちがいない。

「ごめん！」

みんなのところへいくと、トムは言った。階段のいちばん下に立って、ロード・ファン

33
空飛ぶおばあさん

ト病院がどれだけ高い建物か、初めて実感した。見上げると、くらくらする。これまでこんな高い建物の中に入ったことはない。巨大な階段が、病院の最上階までえんえんと続いている。ぜんぶで千段はあるにちがいない。天井は巨大なガラスの天窓になっている。ガラスのむこうで、夜空の星がキラキラかがやいているのが見えた。

みんな、興奮で顔をかがやかせている。夜中にベッドをぬけだすのは、いつだってスリル満点なのだ。

「よし、みんな。オレに風船をわたしてくれ」

ジョージが言った。もうこれ以上、一分だってまてない。

すると、用務係が言った。

「あわてないでください、ジョージ坊ちゃん。今回の作戦は細心の注意が必要なんです。風船をちょうどぴったりの数にしなければなりません。いっぺんにぜんぶ持ったら、ロケットみたいに飛んでいってしまうかもしれませんからね」

「そうだよ、そうしたいンだ！」ジョージは言った。

「まあ、ジョージじゃ、まず無理だろうけどね」ロビンがぼそりと言った。

ペットを飛ばしたいときに、必要な風船の数

（ただし先にペットに了解をとること。

空を飛びたくない動物もいるからね。）

アレチネズミ　7個

ハムスター　12個

ウサギ　31個

カメ　39個

ネコ　47個

イヌ　58個

ブタ　１１７個
ロバ　３４３個
ゾウ　９７２８２個
シロナガスクジラ　３９８５４２２２個

33
空飛ぶおばあさん

「あたし、もういてるでしょ！　ほら！　車いすの重さもあるのに、これだからね！」

アンバーの車いすは床から数センチほどういていた。

「わかったよ！　わかったから、どうすればいいか、教えて！」

ジョージはじりじりしながら言った。

「先にだれかが階段のいちばん上までいって、ジョージ坊ちゃんが上まできたら、風船を一つだけ、とるんです。そうすれば、ジョージ坊ちゃんは安全におりてこられますからね。

その役をしたい人、手をあげて！」

もちろん、だれも千段の階段をのぼりたくはない。

そのとき、トムはなにも考えずに、ふと鼻をほじった。

「ありがとうございます、トム坊ちゃん」

「ちが――」

「立派です。では、お願いします！」

トムはしぶしぶ階段をのぼりはじめた。最初は、むっとしているのを態度で示そうとドタドタと足音をひびかせていたが、すぐにくたびれて、それからはただひたすらてくてくのぼっていった。声がひびくので、下でしゃべっていることはすべて聞こえた。

いつもどおり、用務係は子どもたちのためにすべてをとり仕切っていた。まず全員から風船を一束ずつ受けとって、ジョージにわたしていった。

すぐにジョージは自分の体重を感じなくなり、足が床すれすれまでうきあがった。

「ここからは、細心の注意をはらわなければなりません。風船は一つずつ増やしていきましょう」

ついにトムは階段のてっぺんまでたどりついた。完全に息があがっている。もともと運動がとくいなタイプではないから、まるでエベレストにのぼったようなものだった。下を

33
空飛ぶおばあさん

見ると、さっき見上げたときの百倍くらいくらくらした。手すりがあるのに、落ちてしまいそうな気がする。

ジョージは今や、床から数センチうきあがっていた。あと、一つか二つでふわふわ上昇しはじめるにちがいない。

「そちらの準備はいいですか、トム坊ちゃん？」用務係が言った。

「いいよ！」

トムは大きな声でさけび返したものの、自分がなんのためにここまであがってきたか、完全に頭からぬけ落ちていたことに気づいて、ぼそぼそとつぶやいた。

「ジョージから風船を一つ、受けとって、安全に下りられるようにすること」

用務係は風船を一つ、ジョージの持って

いる束に加えようと差しだした。

「これで、ついに飛べるはずです。用意はいいですか？」

「うん！」ジョージは答えた。

用務係はアンバーとロビンのほうをふりかえった。

「みんなでいっしょにやりましょう。宇宙ロケットの打ち上げみたいに。10、9、8、7、6……」

ミッドナイトギャングは全員でカウントダウンをはじめた。

「5、4、3、2……」

ところが、「1」と言う前に、ありえないほど歳とったおばあさんのネリーが、さっき用務係からもらった風船を持っておどりながらやってきた。

「あら、また会ったわね。おじさんがくれたこの風船もとてもすてきなんだけど、ピンクのととりかえてもらえないかと思って」

ネリーは明るく言うと、ジョージが持っている風船の束に手をのばした。

風船をつかんだとたん、ネリーの小柄な体はロケットにも負けない勢いでふっ飛んだ。


ビュン！！！！！！！！！！！！

34 おしりに火がついた

トムは飛んでくるネリーを必死でつかまえようとしたが、とにかくスピードが速すぎた。ネリーはジョージよりも体重が軽かったから、風船のヘリウムガスの力で超高速でふきぬけを上昇していった。

バリン！

ネリーの体が天窓をつきぬけ、ガラスが飛びちった。

下にいたギャングたちは飛びのいて、落ちてくるするどい破片からにげた。われたガラスは床にあたって、おそろしい音をたてた……。

ガッシャーン！

「ヒャッホー！」

ネリーは喜びの悲鳴をあげて、星空へと消えていった。

「ずるい！」ジョージがわめいた。

階段のいちばん上から、トムはネリーがロンドンの連なった屋根のむこうへ飛んでいくのを見た。

「おりてきてくださぁい！」用務係がさけんだ。

トムは階段の手すりにまたがると、すべりおりた。スピードがつくにつれ、どんどんおしりが熱くなってくる。すぐにトムは止まれなくなっていることに気づいた。

「うわあああああああああ！」

「トム坊ちゃん、どうしたんです？」

「おしりに火がついた！」

「まさに、ことわざどおりだな」ロビンがぼそりと言った。

トムのスピードはますますあがり、摩擦熱が発生して、用務係が見つけてきてくれた古いパジャマのおしりからけむりが出はじめた。

34

おしりに火がついた

「あっちいいいいいいいいいいいい！　**ことわざじゃないよ、本当におしりに火がついたんだってば！**」

「わかってるさ、二度も言わなくてもいいって」

ロビンがなんの助けにもならないことを言った。

「ジョージ、そこの消火器を！」用務係がさけんだ。

ジョージは言われたとおり、消火器をとったが、ハンドルをつかんだひょうしに作動させてしまったにちがいない。いきなり、みんなにむかってあわがふきだした。

プシュウウウウウウウウウウウ！

「ちょっと、どこにむけてんのよ！」

巨大なソフトクリームそっくりになったアンバーがさけんだ。

「止められないンだって！」ジョージがさけぶ。

ロビンも頭から足まであわだらけだ。

「なにが起こってるんだか、さっぱりわからないよ」

「助けて！　だれか、ぼくを受け止めて！」トムがさけぶ。

消火器はあいかわらずあわをふきだし、用務係もすぐにあわだらけになった。

プシュウウウウウウウウウウウウ！

用務係はトムをつかまえる体勢に入ろうと、必死になって目に入ったあわをぬぐいとろうとした。

「なにも見えない！」

「仲間だね」と、ロビン。

トムは下を見て、自分がまっすぐアンバーのところへむかっているのに気づいた。

「アンバー！　ぼくを受け止めて！」

「あたしは腕が折れてんのよ！」

シュウウウウウウウウウウ！

トムは手すりの先から飛びだした。

ヒュン！

宙を飛んでいく。

ピュウウウウ！

そして、あわだらけのアンバーの上に着地した。

ベチャッ！

車いすがうしろむきのまま、走りだし……

ガラガラガラガラ！

34
おしりに火がついた

かべに激突して……

ドスン！

……ぺしゃんこになって、あわのかたまりみたいな姿で床にたおれた。

グシャッ！

そしてようやくあわが止まった。

「みんな、いい知らせだよ！」ジョージが言った。

「なに？」みんなはききかえした。

「やっとこいつの止め方がわかったンだ！」

「グッドタイミング」ロビンがいやみたっぷりに言った。

「あたしの腕と脚が折れててよかった。じゃなかったら、今ので折れるところよ」

アンバーが言った。

トムはパジャマのおしりを調べてみた。焦げて真っ黒になってる。

「さあ、いきましょう！」用務係が言った。

「えっ？」

「空飛ぶおばあさんをつかまえないと！」

35 ピーポーピーポー

ミッドナイトギャングは救急車へ走った。おんぼろの救急車はエンジンがかかりっぱなしのまま、ブルンブルンと音を立てていた。

「みんな、乗って！」用務係が指示を出した。

みんなでアンバーを車いすごと持ちあげて、救急車のうしろに乗せる。

「よし。見張り番をしてくれる人？」

「ぼくはいい候補者とは言えないだろうね」

ロビンは考えこんだように言うと、目のほうたいを指さした。

「ぼくがやる！」トムが言った。見張り番だなんておもしろそうだ。

「さすがです、トム坊ちゃん。では、屋根にしばりつけますね」

「え、どこになにをどうするって？」

「話している時間はありません！　こうやっているあいだも、ネリーはロンドンの上空を飛んでいるんです！」

35
ピーポーピーポー

用務係は、古い革ベルトをシュルッと外し、救急車の屋根にはいのぼった。そして、ベルトをサイレンのライトに結びつけると、ちゃんと固定されているか引っぱってたしかめた。

「よし！　トム坊ちゃん、こちらへ！」

用務係は手を差しだし、トムを屋根の上に引きあげた。

トムは救急車の屋根に立って、ベルトをしっかりとつかんだ。

「坊ちゃんが、わたしの目の代わりです！　おばあさんを見つけたら、教えてください！」

用務係はフロントガラスをすべりおりながら言った。

「了解！」

「用意はいいですか？」

「う、うん！」

救急車は走りだした。

ブーン！

救急車が夜の闇の中へ飛びだすと、トムは真っ暗な夜空に目をこらした。こんな冒険にサリーはこられないなんて。さっきまでの冒険ごっこは今や、本物の冒険になっていた。

はるか遠くで、巨大な雲のような風船の束にぶら下がっているおばあさんが満月の前を横切っていくのが見えたような気がした。

「あそこにいた！」

「どっちです？」

「このまままっすぐ！」

ブウ——ン！

救急車がスピードをあげる。

トムはベルトをしっかりとにぎりしめた。用務係は救急車を、最高速度で走らせていく。信じられない速さだ。

「左！　左！　まっすぐ！」

救急車はキキキキキと急カーブを切り一方通行を逆走し、ときには歩道にまで

35
ピーポーピーポー

乗りあげ、空飛ぶおばあさんを追った。

ロビンは、前の座席で用務係とジョージにはさまれてすわっていた。

「どうしてこんなに急がなきゃいけないか、わからないよ。上にあがったものは必ずおりてくる。おばあさんだっていずれどこかにおりてくるし、そうしたらちゃんと病院まで帰れるだろ」

「バアさんのことはどうでもいい！　オレは風船を返してほしいんだ！　次はオレの番なんだから！」ジョージは言った。

「二人ともひどい！」

うしろの席で聞いていたアンバーが言った。

「かわいそうなおばあさんをこのままほっとくわけにはいかないでしょ。それに、

なにがすごいって、あたしたち、救急車に乗ってるのよ！　もっとスピードをあげて！　もっともっと！　あと、サイレンを鳴らして！」

用務係はにっと笑って、アンバーの言うとおりにした。

ピーポー！　ピーポー！　ピーポー！

屋根の上では、サイレンの音は耳をつんざかんばかりにひびきわたった。おかげで、トムは用務係に方向を伝えるために声をかぎりにさけばなきゃならなかった。

「右！」

はるか上空では、ネリーがロンドンの有名な像や建物の上をかすめるように飛んでいく。セントポール寺院、トラファルガー広場のネルソン記念柱。と、ネリーのネグリジェのすそが、ウェストミンスター寺院のいちばん高い尖塔の上に引っかかった。

次の瞬間、ネグリジェがはぎとられた。

スポッ！

ネリーは大笑いした。

「あらまああまあ！　ヌードになっちゃったわ！」

35
ピーポーピーポー

たしかにそのとおりだ。

「おばあさんがはだかになっちゃった！」

トムはさけんだ。今やトムに見えるのは、しわしわの風船と、しわしわのおしりだ。

「なんてこった！」用務係はさけんだ。

「おばあさんは最高に楽しそうだよ！」トムは下にむかってさけんだ。

が、次の瞬間、大惨事が起こった。

高い木の枝が、ネリーの風船の半分を一瞬にして消し去ったのだ。たちまちはだかんぼうのおばあさんは、おそろしい勢いで下降しはじめた。

「止めて！　おばあさんはちょうど真上にいる！」トムは用務係にむかってさけんだ。

用務係は勢いよくブレーキをふみ、救急車は急停止した。

おばあさんはまっすぐ屋根にむかっておりてきて……、

ドスン！

……トムをはね飛ばした。

ドン！

36 非歓迎ムード

救急車のうしろはぎゅうぎゅうづめだった。トムはストレッチャーに横たわっている。この二日で、気を失うのは二度目だ。真ん中には、車いすに乗ったアンバー。もう一つのストレッチャーには、毛布にくるまったネリーが乗せられていた。ネリーは初の風船飛行ですっかり興奮して、体を起こすと、明るい声で言った。

「次はいつ、飛べるの？」

「もう飛ばねェよ！」ジョージはむすっとして言った。

ジョージはおばあさんのせいで空を飛ぶという夢が残酷にもうばわれてしまい、おかんむりだった。

「今夜、飛ぶのはオレのはずだったのに。バアさんは、ミッドナイトギャングのメンバーですらねェだろ！」

「ミッドナイトギャング？　とっても楽しそうね！　わたしも入れてくださる？」

「だめだよ！　今夜、あんなことをしたくせに、ぜったいぜったいぜったい入れてやるも

36
非歓迎ムード

ンか！」

「ついでにもう一つ『ぜったい』をつけとけば？」ロビンが言った。

「ぜったい！　ぜったい！　ぜったい！　ぜったい！」

「うーん、まだ『ぜったい』が足りないような気がするな」

「うるせェ！　ねえ、用務係さん？」

「なんです、ジョージ坊ちゃん？」

「インド料理のレストランで食べるものをテイクアウトする時間なんてないよね？　新聞販売店の相棒にいくつか料理をたのまれてンだよ」

「残念ながら、少々急がねばならない状況なので」

「だと思った。たださ、ラジは死ぬほどはらがへってるらしくて……」

「もうしわけありません」

「ポパダム一個も無理？」

「今、より道はまずいでしょう」

「正直言って、ラジは気を悪くすると思うな」

　ジョージが残った風船は、次回のために病院へもどすと言ったので、用務係はしぶしぶ屋根のライトに風船を結びつけていた。風船は、ロンドンの街をかけぬけていく救急車の上でボヨンボヨンはねまくっていた。

用務係はせいいっぱい速く救急車を走らせた。できるだけ早く病院へもどらなければならない。ギフトショップに閉じこめられているディリーが外へ出る前に、そしてもちろん、看護師長が目をさます前に、全員ベッドにもどらないとならないのだ。

そうじゃないと、めちゃくちゃおそろしい目にあうことになる。

ストレッチャーにねていたトムの意識がもどってきたらしく、ぶつぶつとしゃべりはじめた。

「クリケットのグラウンドにいたんです。そう、ボールです。ぼくのほうに飛んできたんです。頭にぶつかって。それで、気を失ったんです……」

「ちがうって。それは、前回。今回ぶつかったのは、はだかのおばあさんだよ」

ロビンが訂正した。

「えっ?」ふいに意識がはっきりして、トムはききかえした。

「あら、あなたとはまたはちあわせね!」ネリーが陽気に言った。

用務係は腕時計をちらりと見て、アクセルをさらにふみこんだ。

ブウ――――ン!

36
非歓迎ムード

サイレンのおかげで、あらゆる車を追いこしていくことができる。

ピーポーピーポー！
ピーポーピーポー！
ピーポーピーポー！

用務係の顔に満面の笑みがうかんでいる。一晩かぎりの救急車の運転を心から楽しんでいるようすだ。いつもの、患者のストレッチャーをおして病院内をあちこち回る仕事に比べれば、かなりのステップアップだ。

ついに最後の角を勢いよく曲がると、ロード・ファント病院の入り口が見えてきた。

近づいていくと、建物の前で大勢の人がまっているのがわかった。全員、近づいてくる救急車を見つめている。さらに近づくと、歓迎ムードとは言えないのが見てとれた。

というより、非歓迎ムードまんまんだ。

しみ一つないスーツを着こんだクエンティン・ストリラーズ病院長が階段の上に立っている。そのとなりに看護師長が、反対どなりにはそうじ係のディリーがいる。全員、怒りくるった表情をうかべている。さらにその横に、がっしりした看護師が二人、にこりともせずにひかえていた。

ミッドナイトギャングはとうとうつかまってしまったのだ！

37 笑い事じゃすまされない

ミッドナイトギャングは、院長室まで連行された。院長室は、オークの板張りの広々とした部屋で、暖炉の上には創設者であるファント卿の巨大な油絵がかざられていた。用務係と四人の子どもたちは、部屋の真ん中で身をよせ合った。

クエンティン・ストリラーズ卿は、玉座に腰かける王のようにつくえの前にデーンとすわっていた。院長はロード・ファント病院でいちばんえらい人であり、たしかにそんなふうに見えた。ピンストライプのスーツはしみやしわ一つなく、あかぬけたピンク色のネクタイをしめ、おそろいのハンカチを胸のポケットからのぞかせている。チョッキからさがった金の鎖の先には、金時計がついていた。

ストリラーズ卿のちょうど肩のあたりに、止まり木にとまるタカのように看護師長が立っていた。午前五時になって、ちょうど夜が明けはじめ、朝日の光が子どもたちの目にまっすぐつきささった。ロビン以外の三人は、ぎゅっと目を細めた。

ストリラーズ卿は、ろうろうとした甘ったるい声で、ギャングたちの罪をはしからあげ

37
笑い事じゃすまされない

はじめた。母音や音節の発音のひとつひとつに喜びがみなぎっている。

「特製チョコレートを使い、スタッフに薬をもる。大量の風船をぬすむ。そうじ係の女性をギフトショップに閉じこめる。病院一高齢の患者を空に飛ばす。天窓をわる。救急車をハイジャック。無謀な運転」

「それだけ？」ロビンがじょうだんで返した。

子どもたちと用務係は思わずクスリと笑った。

院長がほえた。

「笑い事じゃすまされんぞ！　それにだ、これだけじゃない。今あげたのは、今夜のことだけだ！　あとはそちらから説明したいかね？」

「ぜんぶぼくのせいなんです！　ぜんぶぼくが考えたことなんです！」トムが言った。

ミッドナイトギャングの面々はトムのほうをふりかえった。どういうつもりだ？　トムは今以上のめんどうな立場に自分を追いこもうとしている。今だって、そうとうめんどうなことになってるのに。

ストリラーズ卿はくちびるをすぼめた。

「本当か？　だが、きみはまだ入院して三日目だろう？」

すると、ロビンが言った。

「ぼくなんです！　ぼくが首謀者（しゅぼうしゃ）です！」

看護師長（かんごしちょう）は鼻で笑った。

「そうは思わないね。なにも見えないのに」

「あたしです！　あたしが首謀者（しゅぼうしゃ）なんです！」アンバーが言った。

「本当か、おじょうさん？」

院長はたずねた。

「娘（むすめ）がすべて一人でやったとは考えられません、クエンティン院長。腕（うで）も脚（あし）もすべて骨折（こっせつ）しているんですから」看護師長（かんごしちょう）が言った。

「そうだろうな。きみはどうなんだね？」院長はジョージにむかってたずねた。

37
笑い事じゃすまされない

「オレじゃありません。オレは一つも関わってないです。ぬすんだ風船で空を飛ぼうだなんて！」

ほかの三人はさめた目でジョージを見た。

「わたしなんです、院長」それまでだまっていた用務係が言った。

「なにがだ？」院長はぐっと目を細めた。

「この子たちがああした夜の冒険を始めたのは、わたしのせいなんです。わたしが、子どもたちの頭にバカげた考えをふきこみました。どうか、子どもたちに罰を与えないでください。責任はわたし一人にあります」

子どもたちはおどろきのあまり言葉を失って、用務係を見た。用務係にすべての責任を負わせることなどできるだろうか？　そんなの、正しいこととは思えない。みんなの夢を実現するのに手を貸してくれただけの友人なのに。

38 めちゃくちゃおそろしい目

院長は院長室で判決を下した。

「看護師長？」

「はい、ストリラーズ卿」

「このとんでもないいたずらっ子たちをきみの病棟に連れ帰ってくれ。全員をベッドにねかし、ぬけだすことのないようにしてほしい。必ず全員を目のとどくところにおいておくように。わかったかね？」

「はい、ストリラーズ卿、よくわかりました」

看護師長は子どもたちにむかって、勝ちほこったようににんまりとほくそ笑んだ。

子どもたちはぞろぞろと部屋を出た。

ロビンは、ストリラーズ卿に最後に一言、言ってやらずにはいられなかった。

「そういえば、院長室のかざりつけ、気に入りました。装飾品がすばらしいですね！」

「うれしいね！」

38
めちゃくちゃおそろしい目

そう答えてすぐに、院長はロビンが目にほうたいをまいていることを思い出し、あてこすりだと気づいた。

「出ていけ！　用務係の処分を決めないとならないからな」

院長は子どもたちを部屋から追いだした。

ドアから出るとき、トムとジョージとアンバーは友人のほうをふりかえった。用務係の目には深い悲しみが宿っていたけれど、なんとか笑みをうかべた。

「さようなら、坊ちゃん、おじょうちゃん」用務係はぼそりとつぶやいた。

まるで永遠の別れみたいに。

看護師長がドアを閉めた。

バタン！

うそつきめ！

死者が出るところだったんだぞ！

クビだ！

病院に泥をぬったな！

なんたる不始末！

院長のどなり声が病院のろうかにこだました。

あんなふうにどなられている用務係のことを思って、トムの胸はしめつけられた。

ミッドナイトギャングの残党はとぼとぼとエレベーターにむかった。すると、看護師長がふりかえってにんまりと笑った。

「さてと、このうそつきのペテン師ども！　めちゃくちゃおそろしい目にあわせてやるからね！」

チン！

エレベーターに乗りこむと、トムはきかずにはいられなかった。

「看護師長さん、用務係さんはどうなりますか？」

「心配いらないよ。おまえたちが今後、あのおそろしい男に会うことは二度とないだろうからね。それと、おまえたちの不愉快きわまりないギャングのことだけどね……」

子どもたちはいっせいに看護師長のほうを見た。

「これで完全におしまいだよ」

エレベーターのドアが閉まった。

チーン！

39 世界一悲しい物語

言うまでもなく、朝の小児病棟は重苦しい雰囲気につつまれていた。

サリーはなにが起こったのか知りたがったけど、だれも話す気になれなかった。とり返しのつかないことが起こってしまったのだ。

いつだって陽気なトッツィがやってきても、雰囲気は明るくならなかった。

「トースト？　それともコーンフレーク？」

トッツィはワゴンをおしてベッドのあいだを歩きながら言った。

「トースト？　それともコーンフレーク？」

「コーンフレークをお願い」トムは言った。

「はいはい、コーンフレーク一つね！」

トッツィはコーンフレークの箱をとると、中身を器にそそいだ。言ったとおり、本当にコーンフレークが一つだけだ。コーンフレークが器に落ちるみじめな音が、
カツン！

とびいた。

「これだけ?」トムはたずねた。

「コーンフレーク一つって言ったでしょ? すまないね。だけど、一粒しか、残ってなかったんだよ。おまえさんのためにとっておいたのさ、おまえさんがコーンフレークを好きなのは知ってるからね」

「一口で食べるなよ!」病室の反対側からロビンが大きな声で言った。

「上からアイスティーをかけるかい?」

トッツィは紅茶のピッチャーに手をのばした。トムは昨日のべちょべちょのぐちゃぐちゃを思い出して、身ぶるいした。

「ううん、いらないよ、トッツィ。牛乳をお願い!」

「今日も牛乳はないんだよ。ケチャップ半袋分ならあるけど?」

「おなかがペコペコなんだ。食べてみるよ!」トムは勇敢にも言った。

「よしきた!」

トッツィは、一粒のコーンフレークの上に、赤いケチャップをほんのちょっぴりしぼりだした。

「さあ、どうぞ!」

39
世界一悲しい物語

そして、アメーバーすらおなかを満たせない量の朝食を差しだした。

「トーストももらえないかな？」

トムは食い下がった。昨日の夜の冒険で、猛烈におなかがすいていたのだ。それに、コーンフレーク一粒じゃ、足りるはずがない。

トッツィは、ワゴンの、温かい食べ物をしまってあるステンレスのとびらを開いた。

「あーあ。院長のストリラーズがどんどん経費を削減しただろ？　トーストも切らしてるんだよ。すまないね」

そして、ジョージのところへいくと、明るい声で言った。

「なにもないよ！　朝食はなんにもなし！」

とうぜんながら、ジョークに応じる子はいなかった。

「あらまあ！　今朝はいったい、みんな、どうしちゃったんだろうね？」

「それはだね……」

看護師長が口をはさんだ。今度もまた、どこからともなくあらわれ、トッツィのまうしろに立っていたのだ。

「……このとんでもないガキどもが、とんでもないことをやらかしてね。病院の規則という規則をやぶったのさ」

「みんな、とってもいい子に見えるのに」トッツィは言った。「だまされちゃだめだよ！　こいつらはそろいもそろって、いやしいうそつきのどろぼうなんだから！」

子どもたちははずかしさのあまりうつむいた。

「サリー以外はね」看護師長はつけくわえた。

トッツィはサリーのベッドのほうを見た。

「サリーはまだ眠っているんだね。かわいいねえ」

「四人のあくどいガキどものせいで、用務係もクビになったよ」

トッツィは耳を疑った。

「ほんとかい！　クビって？」

「ほんとさ！　今朝、その場でね。とうぜんだよ。いけ好かないやつだったよ。むかしから、なにかよからぬことをたくらんでるのは、わかってたんだ。クエンティン・ストリラーズ卿は、すぐさまロード・ファント病院から出ていくようにと言っていたよ」

「なんてこったい、なんてこったい、なんてこと、なんて、なんて、なんて。用務係さんはそんな人じゃないのに。本当にやさしくて、親切な人なんだよ。それに、あの人はむかしからずっとこの病院にいるんだ。だれも覚えていないようなむかしからね！」

「とうぜんの報いだよ。ガキどもの夜中のおふざけに手を貸してたんだからね！」

看護師長は雷のような声でどなった。

「だけど、ロード・ファント病院はあの人の人生そのものなんだよ。かわいそうに、あの人にはほかに、なにもないんだ。おくさんもいない。子どももいない。これといった親戚もいない。生まれた日に母親が病院の前においていったって話だよ」

看護師長は笑った。

「しかたないさ！　あんなみにくい赤ん坊じゃ、どんな母親だってたえられないよ！」

トムは、こんな悲しい話を聞いたのは初めてだった。トム自身、両親に寄宿学校にすてられたような気持ちになることもあったけど、今の話とは比べ物にならない。

トッツィは首をふりふり言った。

「きのどくな、本当にきのどくな人だよ。だいじょうぶかどうか見てこなきゃ。眠るのにソファがいるかもしれないしね。だれかが、温かい料理を作ってあげないと」

「あんなうすぎたない男に同情することないよ！　だれも同情することないさ！　子どもらの頭にばかばかしい考えをふきこんだんだ。前から言ってたんだよ、あの男は外見だけじゃなくて、内面もみにくいってね」

「そんなことない！」トムは言い返した。

「用務係さんは、内面は美しい人よ。あたしの知ってる中でも、だれよりも親切だもの！」

アンバーも言った。

「そもそもあなたに親切ってことがなにか、わかってるとは思えないけどね！」

ロビンも言った。

「そうさ！　クソばばあ！」ジョージもいっしょになってさけんだ。

ついに革命がはじまるかのように思えた。が、次の瞬間、

「**おだまり！**」と看護師長がどなり、子どもたちはおびえて、まただまりこんだ。

「なんて性悪なガキどもなんだろうね！　あんな怪物の味方をするなんて！　今日はこれ以上、一言だってしゃべるんじゃないよ！」

沈黙をやぶる度胸があったのは、トッツィだけだった。

39
世界一悲しい物語

「看護師長さん？」

「なんだい！」

「用務係さんと連絡をとれる方法をなにか知らないかい？」

「知らないね！　あの男の服装やにおいからして、ホームレスだったとしてもおどろかないね。どこかの段ボール箱かなんかでくらしてるんだろうよ。ハッハッハ！」

「そうかい。どこにいようと、今夜はあの人のためにおいのりをささげることにするよ」

看護師長はあざ笑った。

「今はもう、いのったところで、役には立たないだろうね。やつのみじめな人生ももうおしまいさ。ここをクビになったらもう、どこもやとってくれないだろう！　さあ、トッツイ、とっとと朝食を終わらせて、あたしの病棟から出ていっておくれ！」

「あいよ、看護師長どの！」

「あたしはこの性悪のガキどもをどうやって罰するか、考えなきゃならないからね」

そう言い残すと、看護師長はくるりと背をむけて、のしのしと師長室へもどっていった。

40 朝食にはチョコレート

ワゴンの横に立ったまま、トッツィは看護師長のうしろ姿を見送った。そして、師長室に入ったのをたしかめると、トムのほうにむきなおった。

「コーンフレークは食べたかい？」

もちろん、食べ終わっていた。

「うん、ありがとう」

「どうだった？」

「正直に言うと、あんまりおいしくなかった」

「すまないね」

「トッツィ！」アンバーがおし殺した声で呼んだ。

「なんだい？」

「お願いだから、用務係さんを見つけて。さっきの用務係さんの話、信じられないほどひどい。あたし、もうしわけない気持ちでいっぱいなの。用務係さんはあたしたちに手を貸

40
朝食にはチョコレート

そうとしてくれただけなのに、そのせいでクビになっちゃったなんて。どうしても用務係さんに伝えてほしいの。あたしたちみんな、用務係さんが大好きで、いなくなって死ぬほどさみしいって。それから、今回のことでアンバーが心の底からもうしわけなく思ってるって、伝えてちょうだい」

「ロビンもだって、伝えて！」

「ジョージも！」

「だれよりもぼくがもうしわけなく思ってるって、そう用務係さんに伝えて」

トムも言った。

「え、ちょっとまって。いちばんもうしわけないと思ってるのは、あたしよ」

アンバーが文句を言った。

「失敗したのはオレの夢だ！　だから、オレがいちばんもうしわけないと思わねェと」

ジョージも言った。

「おい、だれがいちばんもうしわけないと思ってるか言い争ったってむだだよ」

ロビンがわって入った。そして、ほほえみをうかべて、こう言った。

「どう考えたって、ぼくがいちばんだからね！」

「あの人が見つかったら、おまえさんたちが心の底の底の底からもうしわけなく思ってたって伝えておくよ」トッツィは言った。

「それがいい！」と、トム。

「あたしたちの朝ごはんはどうする？」

　アンバーが言った。

「ジョージ、チョコレートは残ってない？」

　ロビンがきいた。

「あるよ。秘密のへそくりチョコをかくしておいたんだ。最後のかんだけど、みんなでわけよう」

　ジョージはまくらカバーを開いて、チョコレートのかんをとりだした。そして、一つかみずつ、みんなのベッドのほうへ放った。

「ありがとう、ジョージ」トムは礼を言った。

「まあ、ミッドナイトギャングも、楽しめるうちは楽しかったよ。ぼくは、医療機器のオーケストラを指揮できたし、アンバーは北極へいけた。ジョージも数秒だけ、空中浮遊できたし……」

40

朝食にはチョコレート

「そうさ！　夢がかなったさ！」ジョージは皮肉たっぷりに言った。

「だけど、トム、トムはチャンスがなかったね。興味があるんだけどさ、チャンスがあったら、なにを願った？」ロビンはたずねた。

「今朝、ずっとそれを考えてたんだ」トムは言った。

「それで？」と、アンバー。

「ほら、ミッドナイトギャングのちかいの言葉を言ったろ。その中に、自分より友だちを優先するっていうのがあったじゃない？」

「『自分よりもまず、ギャングの兄弟姉妹の求めに応じ』ってところ？」

「それそれ！」

「で？」

「それこそが、ぼくのやりたいことなんだ。ほかの人の『求め』てる気持ちのほうが、ぼくのよりもずっと強いから」

「だれのこと？」

ロビンがきいた。

「サリーだよ！」

「そうか！」

41 最後の冒険？

「サリーは、ぼくたちのだれよりもミッドナイトギャングに入りたがってる。なのに、何度も無理だって言われてきた」

「サリーの病気が悪くなるのがいやだからよ。冒険は危険なことも多い。サリーのことを考えたからこそよ」

するとと、小児病棟のはしっこから、サリーが声をあげた。

「でも、だれでも人生で少なくとも一つは夢をかなえるべきよ」

「眠ってると思ってたよ！」トムが言った。

「ねてたけど、ねてなかった。昨日受けた治療のせいでつかれ切ってたの。だけど、今日はだいぶ具合もよくなったみたい」

「よかった」アンバーは言った。

「トム、トムの願いの順番を、わたしにくれてありがとう。わたしにとって最高のプレゼントよ」

41
最後の冒険？

「いいんだ。サリーがプレゼントを使うチャンスがないのが、残念だけど」

「どうして？」

「ミッドナイトギャングはもうないの」アンバーが答えた。

「大人たちにつぶされちまったんだよ」ジョージが説明した。

「九十九歳のおばあさんをロンドンの空に飛ばしちゃっただけなのにさ！　はだかでね。理不尽だ！」ロビンが言った。

「アハハ！」

サリーが笑った。でも、笑ったせいでいたみが走ったらしい。子どもたちは一人、また一人とベッドを出て、サリーのベッドをかこんだ。

「だいじょうぶ？」トムはサリーの小さな手をにぎった。

「だいじょうぶ、だいじょうぶ、心配しないで」サリーは一目でわかるうそをついた。そして、たずねた。

「本当にミッドナイトギャングは最後にもう一つ、冒険をすることもできない？」

子どもたちは悲しげに首を横にふった。

「でも、できたとしたら、サリーの夢は？」トムはたずねた。

「うん、知りたい」アンバーも言う。

サリーは顔をあげて、みんなを見た。

「バカみたいって思うだろうけど……」

「サリーのことをバカみたいだなんて思わないよ。どんなお願いだとしてもね」

トムは言った。

「あたしだって、北極にいきたいって言ったんだから。両腕両脚が折れてるのに！」

アンバーが言った。

「ぼくなんて、オーケストラの指揮がしたかったんだよ。見えもしないのに」

ロビンも言う。

「オレはさ、飛びたかったンだ！　みんなの体重の二倍はあるのにさ！」

ジョージが笑うと、サリーはにっこりした。

「あのね……」サリーはだんだんと自信が出てきた。

「大きくて、美しい人生を生きたいの！」

「どういう意味？」トムはたずねた。

「わたしは人生のほとんどを病院で過ごしてきたから、いろんなことをやりそこねちゃったの。ときどき、一生ここから出られないんじゃないかって思うこともある。一生ファーストキスもできない、結婚もできない、子どもも持てない」

41
最後の冒険？

子どもたちの目にじわっと涙がわきあがった。

「悲しんでくれなくていいの。だけど、どうかお願い、お願い、お願い！　ミッドナイトギャングで最後にもう一度、冒険ができない？　一世一代の大冒険を！」

「悪ガキどもは、ベッドをぬけだしてなにやってるんだい⁉」

看護師長の声がひびいた。いつものとおり、どこからともなくあらわれたのだ。

「これまでおまえたちには甘すぎたよ。今後、小児病棟の管理方法を一新する。今すぐ、ベッドにおもどり！」

子どもたちは言われたとおり、まず男子たちでアンバーをベッドにねかせてから、それぞれのベッドににげもどった。

「いいかい！　あたしがいいと言うまで、だれ一人、ベッドを出るんじゃないよ。わかったね？」

子どもたちはしぶしぶ「はい、師長」とつぶやいた。

「わかったかいって聞いたんだよ⁈」看護師長がどなる。

子どもたちも今度は大きな声で答えた。

「はい、師長」

「よし！」

トムもベッドにすべりこんだが、そのとたん、看護師長が大声で言った。

「おまえはまだだよ」

ぼくはなにをしたんだ？

「今朝、おまえの検査結果がすべて出たよ」

「はい」

トムはごくりとつばをのみこんだ。なんて言われるか、わかったからだ。

「ああ、開けてびっくり！　一つも悪いところはなかったよ。最初からぜんぶ、仮病だったんだろう、このうそつきのペテン師こぞうめ！」

「でも――」

「**おだまり！**　すぐさま、退院してもらおう。校長先生がむかえにきてるからね！」

42 逃亡

トムの頭から、聖ウィレット校のことは消えかけていた。病院では二晩過ごしただけだけど、すでに自分の家みたいに感じていたのだ。病棟の子どもたちは、家族も同然だった。

「**チャーパー！**」

病室のむこう側から校長の大きな声がひびいた。名門寄宿学校では、教師も生徒を名前で呼んだりしないのだ。

「はい、先生」

すでに学校にもどったみたいだ。

「いくぞ」

校長はかっぷくのいい紳士で、もみあげを長くのばし、小さな丸メガネをかけていた。いつもぶあついツイードのスーツの下にカーディガンを着て、ちょうネクタイをつけ、どこへいくにも、パイプのけむりがふわふわとついてまわる。まるで、少なくとも百年前からタイムトラベルしてきたみたいに見えた。学校は、何百年も変わっていないことをほこりにしていたから、なにもかもが古くさいシューズ校長はまさにぴったりだったわけだ。

看護師長(かんごしちょう)は、出口に立っている校長の横に並んだ。

「ほら、早く早く！」校長は言った。

「お父さんとお母さんはどうしてますか？」トムはたずねた。

「どうしている、というのは？」

「ぼくのことをむかえにくるのかなって思ったんです」

「ああ、まさかまさか。なん百キロもはなれたところにいるんだぞ」

トムはうなだれた。

「頭にクリケットのボールがぶつかっただけだろう！　おかげで少し頭がよくなったかもしれんぞ！　聖(せい)ウィレット校のモットーを思い出せ。『ネク　クエレエレ　シ　エティアム　イヌ　トルメンティス』さあ、このラテン語を訳してごらん！」

「『文句を言うな、たとえおそろしいいたみがあっても』」

「よろしい！」

このモットーは、学校の校章の下に書かれ、ブレザーにもついていた。

小児病棟(びょうとう)の子どもたちが悲しそうに見守る中、トムはベッドのまわりのカーテンを引いて、クリケットの白いユニフォームに着がえた。できるだけ、のろのろと時間をかける。

42
逃亡(とうぼう)

友だちと別れたくない。

「おいおい！　さっさとしなさい！　ぐずぐずするんじゃない！」

トムは草のしみのついたセーターを頭からかぶると、カーテンの外に出た。

「お父さんとお母さんから、なにか連絡はありませんでしたか？」

トムはいちるの望みにすがってたずねた。

校長先生は首を横にふると、ニッと笑った。

「一言もないね！　これまでだって電話一本、手紙一枚、よこさなかったじゃないか。まるできみのことは忘れてしまったようだな」

トムはがっくりと頭をたれた。

「さあ、チャーパー、なにをぐずぐずしてる？」

「新しくできた友だちにさようならを言わないと」

「そんな時間はない！　いくぞ！　さっさとしろ。ここにいるあいだに、だいぶおくれた勉強の分をとりもどさないとならんからな」

「校長先生がおっしゃったことが聞こえたね？　ほら、とっとといきな！」

看護師長(かんごしちょう)もぴしゃりと言った。

トムはピカピカの床(ゆか)の上を歩きながら、最後にもう一度、両側のベッドにいる友だちを一人ひとり見つめた。

サリーとアンバーとジョージとロビンはだまったまま、手をふった。

「看護師長さんに、入院してからきみがしでかしたとんでもない悪さのことを聞いたぞ」

トムはだまっていた。

「ギャングだと？　真夜中にベッドをぬけだして？　聖ウィレット校の名前に泥をぬりおって」

「ごめんなさい」

「ごめんじゃすまないぞ！　学校にもどり次第、厳罰に処すからな」

「わかりました」

「さあ、おいき。二度とその悪ガキ面を見せるんじゃないよ」

看護師長が追い打ちをかける。

トムはふりかえって、最後にもう一度友だちのほうを見た。サリーはにっこりほほえんでくれたけれど、シューズ校長はトムの腕を引っぱって背の高い両開きドアをバンと開けた。ドアがバンと閉まり、校長はトムの肩をがっちりつかむと、ぐいぐいおすようにしてろうかを歩きはじめた。トムは、ろうやに連れもどされる脱走犯みたいな気持ちになった。

なんとかしなきゃ。

42
逃亡

なんでもいいから！
サリーは、ほかのだれよりも夢をかなえてあげなきゃいけない。ぐずぐずしている時間はない。
エレベーターが見えてきた。にげるなら、すぐさま方法を考えなきゃならない。あとちょっとで、校長の車に乗せられ、はるか田舎にある寄宿学校へ連れもどされるのだ。
ろうかのむこうを見やると、新しい用務係が洗濯物を入れた大きなワゴンの横に立っているのが見えた。かべについている投入口から、ランドリーシュートに洗濯物をおしこんでいる。そういえば、ランドリーシュートは病院の地下室までつながっていた。子どもなら、入れる大きさだ。大人は無理だけど。

新しい用務係がむこうへ歩き去っていくのを見ながら、これが唯一のチャンスだと、トムは気づいた。

身をよじって校長の腕からのがれ、走りだす。

「**もどってこい！**」

シューズ校長はどなった。

「先生、さようなら！」

トムはそう言うと、頭からランドリーシュートに飛びこんだ。

43 黒いかべ

「ひえええええええええええええ！」

　トムは悲鳴をあげながら、ランドリーシュートをすべり落ちていった。トムが飛びこんだのは最上階だったから、いちばん下まではおそろしいほど距離がある。四十四階分だ。ランドリーシュートの中は真っ暗で、しかも、とんでもない勢いでスピードが増していく。

　暗闇の中にぽつんと、シュートの出口の四角い光が見えてきた。

　光はどんどん大きくなって、気がつくと、トムは出口を通りぬけて、空中に放りだされていた。

「うわああ！」

ドスン！

トムは、地下室の巨大（きょだい）な洗濯（せんたく）カゴの中に落っこちた。まだ生きていることに、ほっとため息をもらす。それから、なんとか苦労してカゴからぬけだすと、地下室の闇（やみ）の中にまぎ

43
黒いかべ

れこんだ。

どうにかしてすぐにかくれ場所を探さなきゃならない。

校長はまだ上の階にいるけど、すぐに病院のスタッフの半数がトムを探しにやってくるだろう。

トムは洗濯室の前を通った。

うるさすぎ。

冷凍室の前も。

寒すぎ。

倉庫の前も。

不気味すぎ。

そこで、こおりついたように立ち止まった。遠くのほうから、足音が聞こえてくる。どんどん大きくなってる。だれにしろ、みるみるこっちに近づいてくる。まるで軍隊が追ってくるみたいだ。

かべに懐中電灯の光がおどった。

看護師たちの影がこっちへむかってくるのが見えた。

トムは無我夢中で手近なドアを開けようとした。

かぎがかかっている。

次のドア。

しまってる。

次。

しまってる。

影が近づいてくるのを見て、トムはパニックにおそわれた。

「トム！」

看護師長だ。看護師軍団を引き連れている。

「おまえがここにいるのは、わかってるんだよ！」

「あの性悪め、めんどうをかけおって」

校長の声もした。看護師長と並んで走ってくるのが、闇の中でかろうじて見える。

「チャーパー！　どこだ？」

地下室のかべをあらゆる角度で影がいきかい、あたかも四方から軍隊が攻めてくるように見える。

トムは最後のドアのとっ手を回した。

ガチャ！

43
黒いかべ

あいた。

中は真っ暗だった。恐怖がこみあげる。しかし、深く息をすいこむと、トムは中に入って、ドアを閉めた。

真っ黒いかべ。

聞こえるのは、自分が息をする音だけだ。

それでも、ほかにもだれかいるのが感じられた。

「すみません、どなたかいらっしゃいますか？」

暗闇から、一組の目がこちらを見ているのが見えた。

「うぎゃあああああああああああああ！」

トムの悲鳴がひびいた。

44
ホーム

「シィッ！」

うす暗がりから声がした。

シュッとマッチがすられ、燃えあがった炎の光の中に、まぎれもない用務係の顔の輪郭が浮かびあがった。友だちの顔を見て、トムはほっとしてハアーッと息をはいた。

用務係がろうそくに火をつけると、部屋がちらちらとした光にてらされた。

「こんなところでなにしてるの？」

「わたしはここに住んでいるんです。ここがわたしの家なんです」

用務係は聞きとりにくい声で言った。

「クビになったんだと思ってた！」

「そのとおりです。でも、ほかにいくところもありませんから。坊ちゃんこそ、こんなところでなにをしているんです？」

「かくれてるんだ」

44
ホーム

「だれから？」

「校長先生と看護師長と看護師軍団。っていうか、みんなからだよ。校長先生がぼくをむかえにきたんだ。だけど、ぼくは帰りたくない」

「なるほど。とはいえ、ずっとここにいるわけにはいきません」

「うん」

トムはなんの計画もなしににげたものの、にげたせいで前よりもますますめんどうな状況におちいったことに気づきはじめた。

「じゃあ、ここが用務係さんの本当のうちってこと？」

「そうです、トム坊ちゃん。ほらね！」

用務係は、トムに見えるようにろうそくでぐるりと部屋をてらした。

「必要なものはすべて、そろっています」

用務係はすみにしいてあるきたならしいマットレスを指さした。

「ベッドです。そして、あれが調理道具」

となりに小さなガス台があり、かんづめがいくつかおいてある。

「洋服ダンスです」

用務係が指をさした先には、大きな段ボール箱があり、中にくしゃくしゃの服がかかっ

44
ホーム

ていた。

「でも、どうしてちゃんとした家がないの？」

用務係は深いため息をついた。

「この病院がわたしの家なんです。赤ん坊のときからここにいましたからね。当時、わたしはここで何度も手術を受けたんです」

「どうして？」

「『見苦しくない』外見にするためです。でも、一つとしてうまくいきませんでした。何年間もずっとここの患者だったんです。そうこうしているあいだに大人になって小児病棟にいられなくなったころに、ちょうど病院の用務係の口があいたので、引き受けることにしました。ごく簡単な仕事です。いろいろなものや人を運ぶような。それが十七歳のときで、それ以来ずっとここにいるんです」

「仕事があるのに、どうして住むところは見つけられなかったの？」

「探そうとしました。お役所がここから遠くないところにワンルームのごく小さな部屋を見つけてくれたんです。問題は、見かけがこわいと中身までこわいと考える人がいることです。その部屋では、落ち着いてくらすことはできませんでした。近所の人たちが玄関のドアにひどい言葉を落書きしたんです。郵便受けに、出ていけという意地悪な手紙が入っていたり。子どもたちがこわがるとも言われました。どなられたり、つばをはきかけられたり、犬をけしかけられたり。ある日、ねていたら、窓からレンガが投げこまれたんです。ですから、ここにもどってきて、かくれました。わたしがここでくらしていることは、だれも知らないんです。でも、ここがわたしの家です」

トムの目で涙が光った。悲しかったし、同時にもうしわけない気持ちでいっぱいだった。ほかの人たちと同じで、トムも最初、用務係の見かけだけで悪い人にちがいないと思ってしまったのだ。トムは用務係のじめじめしたしめっぽい部屋を見まわした。すばらしいとは言えないけれど、それでも家であることには変わりなかった。トムよりもずっとましだ。両親は外国でくらし、寄宿学校にやっかいばらいされたトムには、家と呼べる場所はなかった。

「リッツホテルみたいに豪華と言えないのはわかっていますが、少なくとも仕事にはとても便利でしたよ！」

用務係はクスクスと笑った。

「しかし、クビになってしまって、どこへいけばいいか、わからないんです」

「ぼくにうちがあれば、きてもらうのに」

「ありがとうございます、トム坊ちゃん」

44
ホーム

「でも、ぼくにはうちはないんだ」

「『家とは愛のあるところ』と言います。坊ちゃんの愛はどこにありますか？」

トムは一瞬考えてから、答えた。

「小児病棟のみんなのところにあるんじゃないかと思う。特にサリーのところに」

「かわいそうなサリーじょうちゃん」

「サリーは自分の夢をかなえることができなかった」

「そうですね。坊ちゃんのお父さんとお母さんはどうなんです？」

「どうって？」

「お二人のところに坊ちゃんの愛はないんですか？」

トムはすぐに答えた。

「ないよ。二人とも、ぼくのことなんてどうでもいいんだ」

「お二人とも、坊ちゃんのことを心から愛してますよ」

「愛してないよ。電話一本、手紙一枚よこさないんだから。めったに会わないし」

「坊ちゃんのことを考えていますよ」

トムはなにも言わなかった。

「わたしたち二人ときたら。魂のぬけがらみたいですね」

「病院の仕事をクビになっちゃって、ごめんなさい。小児病棟のみんなも、もうしわけないって思ってる。それどころかみんなで、だれがいちばんもうしわけないと思ってるかで、言い争いになったんだ」

「本当に？　どうかわたしなんかのことを心配しないでください。ミッドナイトギャングに手を貸すのに危険が伴うことは、わかっていたんです。クビをかけるだけの価値があったんですから」

「本当に？」

「本当ですとも！　またやれって言われたら、やりますよ。何年ものあいだ、子どもたちの顔に笑みがうかぶのを見るためだけにやってきたんですから」

「ストリラーズさんにお願いして、用務係さんのことを――」

最後まで言い終わる前に、用務係がささやいた。

「静かに！」

そして、ドアを指さした。

トムは耳をすました。外から足音がする。次から次へドアをガチャガチャやっている音も聞こえる。

「看護師たちだ！　見つかっちゃったんだ！　ほかに出口はある？」

44

ホーム

「ありません！」

「どうしよう！」

「かくれなければ！」

「どこに？」

「タンスの中にかくれてください。わたしはベッドの下にかくれます」

トムはタンス代わりの段ボール箱にもぐりこみ、用務係はマットレスを自分の上にかぶせた。

「ろうそく！」トムがおし殺した声で言う。

用務係が火をふき消したのと同時に、大きな金属のドアが開いた。


ガチャン！


懐中電灯の光が入ってきて、ぐるりと部屋の中をてらした。

トムが息をひそめていると、看護師長と校長が怒ったようすの看護師たちを引き連れて、中に入ってきた。

看護師長がすごみのある声で歌うようにささやいた。

「♪♪出てこい、出てこい、どこにいようと……♪」

45 ハト博士

「人か動物がここにいたにちがいないよ」

看護師長は小声で言って、懐中電灯の光で病院の地下でもいちばん暗い部屋をすみずみまでてらしだした。

「わたしにはガラクタしかないように見えるね。次の部屋へいこう」校長が言った。

「まって、このにおい……」

看護師長は、フンフンとよどんだ空気のにおいをかいだ。

「妙にかぎ覚えがある」

トムは、洋服ダンス代わりの段ボール箱の中でしゃがんでいたが、そのとき、ひどく妙な感覚におそわれた。小指がかじられているみたいな感触。と思って、下を見ると、本当にかじられていた。ハトが小指をかじってる。

発作的にトムはハトをふりはらった。きのどくなハトは、床の上をツーッとすべっていった。

45
ハト博士

「クウッ！」ハトは鳴き声をあげた。

「きゃあああああああああ！」

看護師長が悲鳴をあげた。

「ただのハトですよ」シューズ校長が言った。

「きたならしい生き物は大きらいなんです。ネズミに翼がついたようなもんじゃないの！子どもらと同じよ！」

「さあ、もう次の部屋へいきましょう」校長は言った。

「わかりました。管理部に報告して、すぐさまあの鳥を撃ち殺すように言わなきゃ。自分でバケツを持ってきて、おぼれさせてやりたいところだけど、あいにく今は時間がないし」

「たしかに残念だな。おもしろいだろうに」校長もひとりごちた。

「シューズ先生、先生も同じ考えだなんてうれしいですわ。あたしは、ちょっと残酷な香りがするようなことが大好きなんです」

「残酷な仕打ちほどおもしろいものはありませんからね。聖ウィレット校の生徒たちにひどいことをするのも、楽しくってね。そうすることで、完全にしたがえさせることができるんです。家族から送られてきた手紙はすべて、とどけずに燃やすんです。トムの両親も毎週手紙を送ってきてますがね、そのまままっすぐ焼却炉いきですよ。ハッハッハ！」

　トムは自分の耳が信じられなかった。

「まあ！　それは楽しいでしょうねえ」

「ええ、楽しいですよ。絶対的な力をにぎっているという感覚は、ほかにないすばらしいものですからね」

「トムの両親は、バカみたいに病院にも電話してきたんですよ。息子の容態を知りたい一心でね。でも、すぐさま切ってやりましたよ！」

「そりゃゆかいだ！　あの性悪のチビの自業自得ですよ。一刻も早くやつをつかまえてやりたい。きびしい罰を下してやろう！」

45
ハト博士

「一年間、朝昼晩と冷えたキャベツを食べさせるとか？」

「ふむ。聖ウィレット校の食事はもっとひどいからな」

「トイレの水で体を洗わせるのはどうです？」

「もうやってる」

「パンツいっちょでクロスカントリーをやらせるのは？」

「なるほど。雪がふってるときにするか！」

「すばらしいアイデアですわ、シューズ先生！」

「ありがとう。ぐずぐずしてる時間はない。こぞうを見つけないと！」

「二手に分かれましょう。シューズ先生、先生はあの冷凍庫の中を探してください。このあいだの夜、何人かの子どもがあそこに入りこんでいたんです」

「よし」

「あたしは、ボイラー室を調べます。見つけたら、大声で知らせてください」

「よしきた！」

二人はくるりときびすを返すと、看護師たちを引き連れて次の部屋を探しに出ていった。

看護師たちの足音が遠ざかると、用務係はマットレスの下から出てきた。

「ひどいやつらだ！」トムは心臓をバクバクさせながらさけんだ。

「どっちもどっちの二人ですね」

用務係はそう言ってろうそくに火をつけた。ふたたび地下室がゆらゆられる光の中にうかびあがった。トムはびっくりした。用務係がすぐさま走っていって、豆鉄砲をくらったようになっているハトを両手ですくいあげたからだ。

「どうしてハト博士にあんなことをしたんです？」

「ハト博士？」トムはあっけにとられてきき返した。

「そうですよ！　この子はとってもかしこいんです。わたしのペットなんですよ。それにほら、この子には翼が一つしかないんです」

トムが見ると、たしかに、もう片方の翼があるはずの場所には小さなこぶしかなかった。

「どうして片方になっちゃったの？」

「生まれつき、こうだったんです。母親のハトは、この子が卵からかえるとすぐに巣から追いだしました」

「ひどい」

「動物はそういうものなんです。この子はできそこないだったんでしょうね、わたしと同じで」

用務係がなでると、ハトがうれしそうに「クウー」と鳴くのが、トムにも聞こえた。

45
ハト博士

「どういうこと？」

「わたしも、生まれてからまだ数時間しかたっていないときに、母に病院の階段にすてられたんです」

「きのどくに」

「真夜中においていったんですよ、だれにも顔を見られないように」

「じゃあ、だれがお母さんか、わからないの？」

「生きているかも、わかりませんけどね。でも、母のことはゆるしています。それに、会いたい。一度も会ったことがなくても」

「どうして病院にすてたんだろう？」

「病院なら、よくめんどうを見てもらえると思ったんじゃないでしょうか。お医者さんと看護師さんに助けてもらえると？　これをどうにかしてもらえるってね」

そう言って、用務係はゆがんだ顔を指さすと、無理やりほほえもうとした。

「なんて言ったらいいか」

「なにも言わなくていいですよ、トム坊ちゃん。それでも、母のことは愛しています。だれだろうと、どこにいようとね。だれも、わたしのことを養子にしたがらなかったので、この病院を造ったファント卿が小児病棟に入れてくれたんです。ファント卿はとても親切な方でした。あの新しい院長とはちがってね」

「アンバーが、ミッドナイトギャングはずっとむかしにできたって言ってた。代々小児病棟の患者に受けつがれてきたんだって」

「そのとおりです」

「でも、だれがギャングを始めたかは、だれも知らなかったんだ。用務係さんは知ってる？」

「ええ、知ってますよ」用務係はふっと笑みをもらした。

「だれ？」トムはワクワクして目を見開いた。

「わたしですよ。わたしが、ミッドナイトギャングをはじめた子どもです」

46 白馬の王子

「用務係さんが?!」

その事実を聞いて、トムの頭はぐるぐる回りはじめた。

「そうです、トム坊ちゃん、わたしなんです!」

二人は、ロード・ファント病院の地下にある用務係の暗くてじめじめした家に並んですわっていた。

トムはにっこりした。

「それで、いろいろはっきりしたよ! どうして用務係さんがぼくたちに手を貸してくれたのかも!」

「ええ、これまで五十数年間、小児病棟の子どもたちが自分の夢を体験できるように手を貸してきたんです」

「ミッドナイトギャングはどうして始めたの?」

「みなさんたちと同じ理由です。たいくつしてたんですよ。ファント卿は、子どもたちがこっそりなにかたくらんでいることはうすうすわかっていたような気がします。でも、卿はなによりも病院の患者さんたちが幸せになることを願っていたんです。真夜中の冒険のことは見て見ぬふりをしてくれました」

「用務係さんの夢はなんだったの？」

「実は、小児病棟の子どもたちから、ときおりひどい仕打ちを受けることもありました。いろいろ悪口を言われてね。ばけものとか、エレファントボーイとか、モンスターとか」

「傷ついただろうね」

「ええ。でも、子どもがいじめをするのは、自分自身が不幸だからなんです。わたしに八つ当たりしているだけなんですよ。看護師長や、おそらくはあの校長先生のように。そんなふうにして自分の外見のことをいやというほど思い知らされましたから、ハンサムな王子になって、美しいおひめさまを救うのを夢見るようになりました」

「実現した？」

「ええ、ある意味では。当時はまだ十歳でしたからね。小児病棟の子どもたちみんなで、毛布とほうきで馬を作って劇をしたんです。毛布の馬の下に二人入って、一人は馬の前の部分、一人はうしろの部分になって、わたしはその上にまたがり、塔に閉じこめられたおひめさまを助けたんです。まあ、実際は階段のてっぺんでしたけどね」

46
白馬の王子

「おひめさま役はだれだったの？」

「ロージーという女の子でした。やっぱり入院していたんです。十一歳で、見たこともないようなきれいな女の子でした」

「病気はなんだったの？」

「心臓が弱かったんです。ロージーがおひめさま役を演じてくれた夜は、人生で最高の魔法のような時間でした。塔から救いだすと、ロージーはわたしに最初で最後のキスをしてくれたんです」

「ロージーはどうなったの？」

用務係は一瞬ためらった。

「その夜のあとすぐに、ロージーの心臓は止まってしまいました。医者と看護師は、できることはすべてしたのですが、ロージーを救うことはできなかったんです」

用務係は頭をたれた。話しているのは五十年以上むかしのことだったけれど、つい昨日のことのように胸がいたむのだ。

「かわいそうに」トムは手をのばして、用務係の肩に乗せた。

「ありがとうございます、トム坊ちゃん。ロージーはわたしにやさしくしてくれた。こんな姿かたちをしていることも、気にしなかった。表面のおくにあるものを、見ることができたんです。ロージーの心臓は弱かったかもしれませんが、とても広い心の持ち主だった。ロージーを失ったことで、わたしはあることに気づきました」

「なに？」

「人生はかけがえのないものだということ。一瞬一瞬が、かけがえのない時間だということ。おたがい相手にやさしくしなければならないということ。そう、まだ時間のあるうちに」

47 できないことなんてない

二人は、しばらくだまって地下室にすわっていた。やがて、用務係が口を開いた。

「さあ、トム坊ちゃん。これ以上ここにいたら、めんどうなことになりますよ」

そう言って、用務係はハト博士にパンのかけらをやった。ハトはくちばしでつまむと、ぴょんぴょんと巣まではねていった。トムが見ると、小さな卵がいくつかあるのが見えた。

「赤ちゃんが生まれるんだね！」

「わたしの赤ちゃんじゃありませんがね！」用務係は笑った。

「そうなんです。ハト博士はお母さんになるんですよ。わたしも、卵がかえるのを心から楽しみにしているんです」

用務係はトムをまじまじと見つめてから、こう言った。

「頭のこぶは、すっかりへこみましたね」

「まだいたいよ」トムはうそをついた。

「わたしはだまされませんよ。坊ちゃんがもっと病院にいたくて、きのどくなルパース先生にうそをついたのはわかっていましたけどね」

「えっ！」

「ルパース先生はだませても、わたしのことはだませません！　さあ、上へいって、校長先生を探しましょう。すぐに学校にもどらないと」

「いやだ！」トムは反抗した。

用務係はびっくりした。

「いやだってどういうことです？」

「いやだって言ったらいやなんだ。ミッドナイトギャングが最後のミッションのためにもう一度、結成されるまでは帰らない」

用務係は弱々しげに首をふった。

「無理ですよ、トム坊ちゃん。今や、病院じゅうが子どもたちがやっていたことを知っているんです。もうこれ以上、ミッドナイトギャングでミッションを行うことはできません」

トムはあきらめなかった。

「でも、さっき自分で人生はかけがえのないものだって言ってたじゃない！　一瞬一瞬がかけがえのない時間だって！」

「そうですが……」

47

できないことなんてない

「なら、サリーの夢をかなえなきゃ。やさしくしなきゃ、まだ時間があるうちに」

「でも、今夜はだめです。無理ですよ！」

「できないことなんてないよ！　なにか方法があるはずだ」

大げさな身ぶりでトムは立ちあがり、大またでドアへむかった。

「用務係さんが助けてくれないなら、それでいいよ！　ぼくたちだけでやるから！」

そして、ドアを開けた。しかし、トムが出ていこうとすると、用務係が言った。

「まってください！」

用務係に背をむけたまま、トムはひそかににっこりした。用務係がエサに食いついたのがわかったからだ。あとは釣り上げればいい。トムはふりかえって、用務係とむきあった。

「ちょっときいてみたいだけなのですが、サリーじょうちゃんの夢はなんなんです？」

トムは一瞬、ためらった。これから言おうとしていることは、これまでミッドナイトギャングがやってきたことよりもはるかにむずかしいとわかっていたからだ。

「サリーは、大きくて、美しい人生を生きたいんだ。たった一晩でいいから」

48 とてつもなくすごい冒険

用務係は、たどたどしい口調で言った。

「整理させてください。サリーじょうちゃんは、たった一晩で人生を、つまり七十年か、もしかしたら八十年の人生を生きたいと思っているということですか？」

「そういうこと！　サリーは、人生が与えてくれるものをすべて経験したがってるんだ」

トムはごくりとつばをのんだ。今回の願いは、これまでの中でいちばん成功させるのがむずかしい夢だとわかっていたからだ。

「すべて？」

「うん、すべて。あのさ、そんなのどうかしてるって思うのはわかってるよ。でも――」

「美しいと思います」

用務係はさえぎって言った。そして、最後にもう一度ハト博士をなでると、そっと床におろした。

「計画が必要です」

48

とてつもなくすごい冒険(ぼうけん)

「もう、一つ考えたんだ！」

「なんです？」

「みんなでちょっとしたショーをするんだよ。サリーを主役にして」

「ショーというのは？」

「スナップ写真ふうにやるんだ。人生の出来事を一つずつ切りとったような。ファーストキスでしょ……」

「初仕事とか？」

「赤ちゃんが生まれるのだって！」

「すばらしいアイデアです！」

トムははずかしくてほおが真っ赤になるのを感じた。これまで一度も、アイデアがすばらしいなんてほめられたことはなかったのだ。

「ありがとう」

「大きな夢(ゆめ)ですね。いや、それ以上です。巨大(きょだい)な夢(ゆめ)だ！　小道具やら衣装(いしょう)やらいろいろなものが必要です」

「そうなんだ！　探(さが)さなきゃいけないものが、たくさんあるんだよ。ぼくたちですぐにとりかからないと」

「それから、サリーじょうちゃんにとっての特別な出来事というのはどんなものになるか、リストアップしなければなりません」

「そうだね」

「ミッドナイトギャング最後のミッションはすごいぞ！　いくぞ、ハト博士」

用務係はハトをすくいあげると、ポケットに入れた。

「とてつもなくすごい冒険に乗りだすんだ」

49
左足が二本

トムが病院からも学校からも「逃亡中」であることが公になった今、地下室から小児病棟までもどるのは、そうとうむずかしいことになりそうだった。トムと目的地のあいだには、四十四階分のフロアと、何百という患者と医者と看護師たちが、立ちふさがっているのだ。

「見つかったら、おしまいだ」トムは言った。

「わかっています。変装するしかありません」

トムは、部屋のすみっこにさびついた古いストレッチャーがあるのに気づいた。

「重病の患者のふりができないかな？　ぼくの上にシーツをかぶせて、ストレッチャーで小児病棟までおしていってくれない？　そうすれば、ぼくだってわからないよ」

「すばらしいアイデアですね、トム坊ちゃん。ですが……」

トムがストレッチャーの上に飛び乗ろうとしたとき、用務係は続けて言った。

「ですが、坊ちゃんは大切なことを忘れています。とても大切なことを」

「なに？」

「わたしはクエンティン・ストリラーズ卿にあの場でクビにされたんです。ゆくゆくは〈空飛ぶおばあさん事件〉と呼ばれることになる事件のせいでね。ですから、わたしも変装しないとならないんです」

トムはがっくりした。

「ごめん、忘れてた。じゃあさ、役割を逆にするほうがうまくいくかも」

「どういう意味です？」

「ぼくがお医者さんになって、用務係さんが患者になるってことだよ！　用務係さんがシーツをかぶるんだ」

「ちょうど一枚、ここにあります！」

用務係は、もとは白だけど、古くてねずみ色になったシーツを拾いあげた。そして、ばさっばさっとふると、部屋じゅうにもうもうとほこりが立ちこめた。ほこりのふぶきにおそわれて、二人はゴホゴホせきこんだ。

「すみません！　しかし、トム坊ちゃん、トム坊ちゃんを大人だって、みんな信じますかね？」

トムは、トムの年齢にしてもそうとう背が低かった。

49
左足が二本

「なにか方法があるはずだよ。もうちょっと背が高くなればいいだけだよね。竹馬があればなあ！」

「それに近いものならあります！」

用務係は、部屋のすみをひっかきまわした。病院のいらなくなったあらゆるものが、そこにすてられていた。ゴム手袋、聴診器、試験管、金属皿、トング……いろいろなものがトムの横を投げすてられていく。そしてついに、用務係は探していたものを見つけた。二本の義足だった。プラスチック製で、事故や病気で脚を失った人のために造られたものだ。

「これなら、うまいこと使えますよ！」

用務係はそう言って、義足を差しだした。

ただ、二本は二本でも、両足の分ではなかった。

トムはしげしげと見た。

「二本とも左足だ」

「だれも調べやしませんよ。わたしのズボンを貸しますから、それでかくせばだいじょうぶ」用務係は自信たっぷりに言った。

「わかった。やってみよう！」

それからしばらくして、二人はだれもいないのを確認すると、地下の用務係の部屋を出た。用務係はトムに、いちばん清潔なズボンを貸してくれたけど、それもとうぜん、表面によごれがこびりついていた。用務係は左足のくつも二つ見つけてきて、義足にはかせた。といっても、もちろん同じくつではなくて、片方は穴かざりのついた黒い革ぐつで、もう片方は白いスニーカーだった。

トムは長い白衣をはおり、用務係がすすで口ひげをかいて、変装は完成した。新しい脚はぐらぐらしたから、トムはよろめきながら古いさびだらけのストレッチャーをおして歩きはじめた。用務係はねずみ色のシーツの下で、いつもとちがっておされる立場になったのを楽しんでいるみたいだった。

「小児病棟へ！　急いで！」

「この脚だと、これでせいいっぱいなんだよ」トムは言った。

「もっと低い声でしゃべってください！」

「え？」

「相手に大人だと思わせたいなら、もっと低い声でしゃべらないと」

トムはもう一度、今度はもっと低い声で言った。

「この脚だと、これでせいいっぱいなんだ」

49
左足が二本

「それじゃ、低すぎます」

トムはため息をついて、もう一度言った。

「この脚だと、これでせいいっぱいなんだ」

「完璧です！」

トムは歩きはじめてすぐに、つまずいて、ストレッチャーをかべにぶつけてしまった。用務係は頭を打った、思いっきり。

「いた！」

「ごめん！」

「これで、本当のけが人になりましたよ！」

二人はクスクス笑うと、せいいっぱい急いでエレベーターへむかった。

50 ポパダム

「看護師長はもう、眠り薬入りチョコレートには引っかからないよ」

エレベーターであがりながら、トムは言った。

「わかっています。予定外の場所によるのは、そのためです」

用務係はストレッチャーの上から、回らない舌で答えた。

そして、シーツの下から手をのばすと、三十六階のボタンをおした。

「三十六階になにがあるの？」

「薬局です」

チン！

三十六階でドアが開いた。

義足だと、初めて歩く赤ちゃんガゼルみたいな気持ちになる。必死になって体をまっすぐにのばし、ストレッチャーにしっかりとつかまる。もう夕方だったから、ろうかにひとけはなかった。シーツの下から用務係が指示を出した。

50
ポパダム

「そこを左……」

ドスン！

「ベンチに気をつけて」

ドカン！

「カウンターにも！」

ドン！

「両開きドアを通るときは、スピードを落として！」

「ごめん！」

どうしようもなかった。義足になれるには、そうとう時間がかかるのだ。

「薬局に着いたら、注射器と睡眠薬の注射液を50ミリリットルもらってください」

「なにに使うの？」

「看護師長を朝まで眠らせるのにです」

「だけど、薬局の人も、こんな近くからじゃ、ぼくのことを医者だなんて信じないよ！」

「だいじょうぶです。薬局の夜番の係は、耳も目もおそろしく悪いんです」

「だといいけど！」

「さあ、いかなければ。この先の、すぐ左側です」

そのとき、ぜんぶの指をほうたいでぐるぐるまきにしたパジャマ姿の患者が転がるように角を曲がってきて、おなかからストレッチャーにつっこんだ。

「いたい！」ラジはさけんだ。

「ごめんなさい！」トムはあわててあやまった。

「低い声で！」シーツの下から用務係が言った。

「今のはだれだ？」ラジがきいた。

トムは声を低くして答えた。

「この下にいるわたしの患者です！　おしりがいたいって……低いほうのあたりが」

「ふむ。ところで、先生……」

「先生って？」トムはききかえした。

「あなたのことですよ」

ラジはめんくらって言った。

「ああ、そうだ。忘れてました」

ラジは、奇妙な相手をまじまじとながめた。トムは、顔からどっとあせがふきだすのを感じた。

「先生、わたしは小児病棟を探してるんです。わたしの店のお気に入りのお客トップ１０

50

ポパダム

０に入っている少年が、そこに入院しているんです」

「ジョージか！」トムは思わず言った。

「そうです！　ジョージに昨日の夜、出前をたのんだのですが、まだきていないんです。ちょっとした注文だったんですがね。ポパダムと、玉ねぎのバージと、サモサと、チキン・ジャルフレージーと、アルーチャートと、タンドリーエビのマサラと、野菜のバルチと、ナッツとレーズンの入ったナンと、アルーゴビと、マターパニールと、レンズマメのカレーと、ポパダムと……」

「ポパダムはさっき、言いましたよ……」

「わかってます、先生。二つほしいんです、一つじゃ足りませんからね。それから、マンゴチャツネと、パニールマサラと、ピラフライスと、バハタ、チャナアルと、子羊のローガンジョシュだけなんです」

「それでぜんぶ？」

「ええ、たぶん。ポパダムは言いましたっけ？」

「ええ、二回も！」

「ポパダムはいくらあったって、ありすぎることはないですからね」

「でしょうね！」

「というわけで、小児病棟の場所を教えてもらえます?」

「上へいかせちゃいけませんよ!」

シーツの下から用務係はささやいた。

「上?」

ラジがききかえした。

「患者さんのおしりのことです!　今度は上のほうがいたいんです」

ラジはこまり果てた顔で言った。

「お願いです、先生。場所を教えてください。もう何時間も病院じゅうを上へいったり下へいったりして、探してるんです」

「うそです!」

用務係はささやいた。

「うそ?　うそってどういうことです?」ラジは言った。

「うみが出てるって言ったんです。おしりから」

ラジはストレッチャーの上の病人をまじまじと見た。

「出てませんよね」

「え、ええ。その、さっき出たってことです。さっきまでほんの少し出てたんですよ。

50
ポパダム

一ミリリットルくらい」

「それはそれとして、教えてください、小児病棟(びょうとう)はどこです？」

「エレベーターで三階までおりてください」

「それで？」

「ろうかを歩いて、病院の反対側までいってください」

「それで？」

「そこに階段(かいだん)があります」

「それで？」

「一階分、あがってください」

「それで？」

「両開きドアを出てください」

「それで？」

「最初の角を左に」

「それで？」

「二番目の角を右」

「それで？」

「ろうかのつきあたりまでいってください。そうすると、先のほうに両開きドアが見えます」

「それで?」

「それは無視してください」

「それで?」

「最初の角を左」

「それで?」

「ぜんぶ覚えてるんですか?」

「いいえ、ぜんぜん」

トムはてきとうにろうかを指さした。

「あっちです」

「ありがとう! 先生のためにポパダムをほんのちょっと残しておきますよ」

「それはどうもありがとう」

トムはきのどくなラジがろうかのむこうに消えるのを見送った。

「見事です、先生!」用務係がおどけて言った。

「これでもう撃退できたでしょう! さあ、薬局へ!」

51
疑惑

トムがストレッチャーをおして、ろうかのつきあたりまでいくと、かべに小さなとびらがついているところに出た。そこから、薬剤師が薬をわたしてくれるのだ。

ガラスの引き戸のむこうに、コッドさんがすわっていた。年配のコッドさんは補聴器と、ぶあつい丸メガネをかけ、ありえないくらい大きいマグからズーズー音を立ててお茶を飲んでいた。

トムは深く息をすいこむと、あいさつからはじめた。

「こんばんは……」

「もっと低く！」

シーツの下から、またささやき声がした。

トムはもっと低い声で言い直した。

「こんばんは」

コッドさんは顔もあげない。

「答えないよ！」トムはささやいた。

「たぶんまた、補聴器のスイッチを入れるのを忘れてるんです。大きな声でさけばないと！」

「こんばんは！」

「そんなに大きな声で言う必要はないよ、先生。わたしゃ、耳が遠いわけじゃないんだ！」

コッドさんがさけび返した。

「ごめんなさい！」

「なんて言った？」コッドさんは耳の横に手をあてて、ききかえした。

「補聴器のスイッチを入れたほうがいいんじゃないですか？」

「なんて言ってるのか、聞こえん！　今、補聴器のスイッチを入れるから」

コッドさんはマグをおくと、補聴器のダイヤルを回した。しかし、なんの反応もなかったのか、げんこつでガツンとたたくと、ピーと音がしてスイッチが入った。

「よし。で、なにがご入り用だね、先生？」

トムはほくそ笑んだ。うまくいきそうだ。

「注射器と睡眠薬の注射液を50リットルたのみます」

コッドさんの顔色が変わった。

51
疑惑

「いったいなにに使うんです？　カバでも眠らせるんですか？」

「ミリリットル！」

シーツの下からささやき声が言った。

「今のは？」

「わたしの患者です」

「患者のほうが先生より必要なものがわかってるなんて。あなた、医者でしょう⁉」

トムは一瞬考えてから、答えた。

「ええ、実はこの患者さんは、正しい医療用語を使えば、『パッパラパー』なんです。きのどくに、自分のことを医者だと思ってるんですよ。妄想してるんです！」

「だとしても、どうして正しい分量がわかったんです？」

たしかに。

トムはおののきながら答えた。

「ええと、それはですね、患者さんの妄想はそうとうひどいんですが、そもそもとても優秀な医者なんです。実際、今から手術室に運んでいくところなんです」

「どうして？」

「手術をするためですよ。だから、睡眠薬がいるんです」

コッドさんはつかれたように首をふった。

「もうこの世のことはすべて見つくしたと思っていたがねえ。睡眠薬の注射液50ミリリットルね」

そして、スツールからおりると薬局のおくのほうへ入っていった。

「うまくやりましたね」

「『お見事です、先生』って言わなきゃ」トムはクスクス笑った。

「調子に乗っちゃ、だめですよ、坊ちゃん！」

コッドさんは注射液を持ってもどってきたときに、ちょっとよろめいて、カウンターに落としてしまった。拾おうとしてかがんだとき、トムの足が目に入った。

「左足が二本！」

「そうなんです。たいていの人は、左足は一本だけですが、幸運なことにわたしには二本ありましてね」

「そんなのは、初めて聞いたぞ」

「ええ、社交ダンスでいちばんにはなれませんが、それ以外のことでは問題ありません。おかげさまでね」

コッドさんはぶあついメガネのおくから、医者と称する相手を疑い深げにじろじろ見た。

51
疑惑（ぎわく）

「あとは、ここにサインを」

コッドさんはぼそりと言って、カウンターごしに記入用紙を差しだした。

「ありがとう。ペンはありますか？」

コッドさんは首をふりふり言った。

「またペンを持ってない医者かい！」

そして、白衣の胸（むね）のポケットからボールペンをとりだした。

「いいか、そのまま持っていくんじゃないぞ！」

コッドさんはペンをころころと転がして、こちらへよこした。トムは拾おうとしたが、バランスをくずしてしまった。

「うわあああ！」

ドッスン！

トムは大の字に床（ゆか）にひっくり返った。義足（ぎそく）は二本ともふっ飛んだ。

コッドさんはこちらを見下ろした。

「脚がとれちまったぞ！」

「ええ、もういらなくなりましたのでね。だれかいるひとがいたら、あげちゃってくださ
い」

「おまえ、医者じゃないな！　子どもじゃないか！　さては、病院のみんなが探し回って
いる少年だな！」

「医者ですよ！　わたしと同じでね！」

用務係がシーツの下から言った。

「おまえたち、悪事をたくらんでいるな！　警備員を呼んでやる！」

トムはストレッチャーをつかむと、ろうかを走って、両開きドアにつっこんだ。


バーン！


「すぐさま次の行動に移りましょう！　注射器はありますか？」

「うん、これでどうするの？」

「注射器ですからね、注射するんですよ、看護師長のおしりにね！」

52
おしりにぶすり

チン！

エレベーターのドアが開いて、四十四階についた。ろうかの先に、小児病棟へ入る巨大な両開きドアがある。

「どうやってこれを看護師長のおしりにさすの？　看護師長はタカみたいになんでも見張ってるんだよ」

トムは睡眠薬の注射液で満タンになった注射器を持ったまま、できるだけ音がしないようにストレッチャーをおしながらたずねた。

「不意打ちです、トム坊ちゃん！」

用務係はねずみ色のシーツの下からひょいと顔を出した。

「看護師長に、わたしたちがくるのを気づかれてはなりません。でないと、いっかんの終わりです！」

「ストレッチャーがあるから、これでスピードが出せるかも」

トムは考えていることをそのまま口にした。

「そうですね。もちろん理想は、看護師長がドアに背をむけて、かがんでいることですが」

トムはストレッチャーを止めた。あと数歩で両開きドアだ。

そして、興奮して言った。

「いいこと、思いついた！　ハトはまだポケットにいる？」

「もちろんです。いっしょに冒険しているんですから」

「よし！　じゃあ、ハト博士を病室に放すんだ。病室じゅうにげ回るだろうから、そしたら看護師長もそっちに気をとられる。さっき、ハトは大きらいだって言ってたろ？」

「名案です、坊ちゃん。すばらしい」

二人は手足を床について、病室に続くろうかをそろそろとはっていった。そして、トムが片側のドアに手をあてて、ほんの少しだけおし開いた。窓の外でビッグベンの文字盤が光っているのが見える。真夜中まであと数分だ。

ドアのすき間から中をのぞくと、病室の明かりはすべて消え、子どもたちはベッドで眠っていた。ジョージとアンバーとロビンの輪郭が見える。でも、サリーのベッドはいちばんおくなので、なにも見えなかった。看護師長室から、かすかに明かりがもれている。看護師長は背をぴんとのばしてすわり、病室になにか変わりはないか、目を皿のようにして

52
おしりにぶすり

見張っていた。

用務係はポケットに手を入れて、ハト博士をとりだした。トムはハトが通れるように、ドアをさらにおし開けた。ところが、ハト博士は入ろうとしない。飼い主とはなれるのがいやなのか？　理由はなんにしろ、ハトはがんとして動こうとしなかった。そこで、用務係はハトをそっとつかんで、病室に入ってすぐのところにおろしてやった。しかし、それでも、忠実なハトはぐずぐずしてドアの前から動かず、くちばしで床をつついた。

「ハト博士、いけ、いくんだ！　風みたいに飛んでいけ！」用務係は言った。

それでも、ハトはじっとしたままだった。近いうちにテレビの動物タレントショーで優勝するのは無理そうだ。翼が片方しかないハト博士ならではの生い立ちの物語があるのに、残念なことだった。

「ほら、いけ！」

用務係はハト博士をけしかけた。それでもやっぱり、ハトはなにもしようとしない。

そこで、用務係はしかたなくよつんばいのままドアのすき間を無理やり通って、ペットのハトをおくの看護師長室のほうまでおしやった。

しんと静まり返った中に、大きな声がひびきわたった。

「そこにいるのは、だれだい！」

看護師長だ。用務係が見られたのだ。計画は砂の城のようにみるみるくずれていった。

すばやく頭を働かせなければ。

ドアのすき間から、看護師長が飛びだしてくるのが見えた。そこで、トムはストレッチャーをおしながら走り、ぱっと上に飛び乗って注射器をかまえた。

バーン！

ストレッチャーが両開きドアにつっこむ。

前のほうに看護師長のまんまるのおしりが見える。ちょうどしゃがんで、用務係を立たせようとしている。

「おまえだね、用務係！　さあ、立つんだよ、このクズめ！　すぐさまあたしの病棟から出ていくんだ！　今すぐにだよ！」

看護師長のおしりのむこうから、看護師長の顔がこちらをむくのが見えた。ストレッチャーの車輪のキイキイきしむ音が聞こえたにちがいない。

キキキキキキキ！

52
おしりにぶすり

「トム？」看護師長はさけんだ。

だが、おそかった。

注射器の針が、看護師長のおしりにぶすりとつきささった。

「いたい！」

トムが注射器のピストン部分をおすと、睡眠薬が看護師長の体の中に流れこんだ。

看護師長がそりかえる。

そして、
ドサッ！

たちまち看護師長は床の上で大きないびきをかきはじめた。

「グオオオオオ！　グオオオオオ！　グオオオオオ！」

53 ゴーン！

アンバーとジョージとロビンはベッドから出て、床に大の字になっている敵を見下ろした。ふだんはすき一つない看護師長も、今や威厳もへったくれもない。ヒトデみたいに両腕両足を大きく開き、口からたれたよだれの海ができている。

トムが口を開いた。

「よし。ミッドナイトギャングのみんな、行動開始だ！　サリーはどこ？　サリー？」

トムがサリーのベッドのほうを見るのを見て、アンバーはだまりこんだ。

ベッドは空だった。

トムは、答えを求めるようにみんなのほうを見た。みんなの悲しそうな顔を見れば、察しはついた。

「どういうこと？　サリーはどこ？」

「トムがいないあいだに、サリーの容態が悪くなったの」

「うそだろ」

53
ゴーン！

計画に夢中になって、サリーがどんなに具合が悪いか、忘れていたのだ。

「それで、隔離病棟に運ばれたんだ」ロビンが言った。

「でも、サリーの夢はどうするんだ？」トムは必死になって言った。

子どもたちはみんな、首を横にふった。

「今夜は無理よ、トム。できない」

「残念だな、相棒」ジョージがトムの肩に手をおいた。

「少なくともやれるだけやったんです。でも、残念ながらここまでかと」

用務係がつぶやいた。

小児病棟はしんと静まり返った。


ゴーン！

ビッグベンが真夜中をつげはじめた。

ゴーン！

ギャングたちはそれを聞いて……

ゴーン！
うなだれた。
ゴーン！
時間がすぎていく
ゴーン！
ものすごい速さで。
ゴーン！
子どもたちの指のあいだから、時がすべり落ちていく。
ゴーン！
なにかしなければ！

53
ゴーン！

ゴーン！
サリーのために！
ゴーン！
サリーには、夢をかなえてもらう権利がある……
ゴーン！
だれよりも！
ゴーン！
なにか方法があるはずだ！
ゴーン！
最後の鐘が鳴ったとき、トムは言った。
「みんな、まちがってる」

54 いっしょに

「またかよ……」ロビンがぼそりと言った。

「どうぞ続けて」

アンバーがいやみたっぷりに言った。どんなことだろうと、まちがっていると言われることになれていないのだ。

「サリーが隔離病棟に連れていかれたからこそ、どうしても今夜やらなきゃいけないんだ。ぼくは前に一度、サリーに約束をしたのに、やぶってしまった。だから、二度とサリーをうらぎれないんだ」

「だけど、隔離病棟にいるってことは、ひどく具合が悪いってことなのよ！」

アンバーがさけんだ。

「やるかどうかは、サリーに決めてもらえばいい。ぼくたちはみんな、自分がよくなるってわかってる。ロビン、ロビンはまた見えるようになる。アンバー、アンバーの腕と脚も治る。ジョージの手術はうまくいった。まだチョコレートはへらさなきゃいけないけど」

54
いっしょに

「わかってる！　これからは、一日に一かん分だけ、へらす」

トムはニッと笑った。ジョージは大まじめだったけど。

「サリーは、自分がいつよくなるか、わからないんだ。自分でそう言ってたろ。サリーが隔離病棟に運ばれたって聞いて、ぼくはこわいんだ。病気が悪くなったってことだから。だからどうしても、今夜サリーの夢をかなえなきゃいけないんだ！」

「トム坊ちゃんの言うとおりです」用務係が言った。

「了解、了解、了解」アンバーが、ロビンとジョージの分まで答えてから、言った。

「でも、サリーの、人生をぜんぶ経験したいっていう夢は、あまりにも……」

「大きい？」ジョージが引きついで言った。

「うん。ミッドナイトギャングはこれまでもすごいことをたくさんしてきた。みんな、楽しんだけど……」

「オレは飛べなかったけど」ジョージはなげいた。

「あーあ、いつだってだれか不幸なやつがいるんだ」ロビンがつぶやく。

「だけど、今回のは、今までのどの冒険よりもすごい」と、アンバー。

「だからこそ、やってみなきゃいけないんだ。サリーのために。サリーにふさわしい、大きくて、美しい人生をプレゼントするんだ。だから、お願いだよ！　みんないっしょならできる。ギャングなら。できるってわかるんだ。よし、多数決で決めよう。賛成(さんせい)の人、手をあげて！」

トムが言うと、用務係(ようむがかり)と男の子たちが手をあげた。みんなは、アンバーを見た。

「アンバーは？　賛成(さんせい)？」トムがきいた。

「あたりまえでしょ！　手があげられないだけよ！」

「よし、じゃあ、ミッドナイトギャングのみんな、出発だ！」

55 まくらにしずんだ頭

トムはみんなに、どうやってサリーの夢をかなえようと思っているか、計画を話した。そして、ミッドナイトギャングは、設立メンバーの用務係をふくめ、それぞれアイデアを出し合った。

次に、用務係はアンバーとジョージとロビンを手術室に連れていって、準備を開始した。そのあいだに、トムはサリーをむかえにいくため、一人で隔離病棟にむかった。心臓が興奮でバクバクする。だが、次に目にした光景は予想をはるかにこえていた。

見られないようかがんでナース・ステーションの前を通りぬけたあと、サリーのいる病室のガラスに顔をおしつけて中をのぞいた。チューブやらなにかの線やらがベッドのまわりとくねくねととりかこんでいる。部屋には銀色の機器のピー、ピー、という音がひびき、コンピューターの画面がちらちら光っていた。サリーの心拍数と血圧と呼吸を測定しているのだ。そして、その真ん中にサリーがいた。毛のない頭はまくらにしずみこみ、目は閉じられている。

トムはためらった。サリーを起こすのはまちがっている気がする。このままもどって、やっぱりサリーの夢(ゆめ)をかなえるのは無理だとみんなに言うほうがいいのかもしれない。トムがもどろうとしたそのとき、サリーの目がぱっと開いた。友だちの顔を見て、サリーの口元にほほえみがよぎった。そして、かすかにうなずいて、中に入ってくるように合図した。

そこで、トムはろうかのむこうのナース・ステーションにいる看護師(かんごし)に気づかれないように、そろそろとなるべく音を立てずにドアを開いた。そして、中に入ると、ためらいながらベッドのほうに近づいた。

サリーはまっすぐトムを見ると、言った。

「おそかったじゃない」

トムはにっこりした。

お楽しみはこれからだ!

56 だれもねてはならぬ

手術室はだだっ広くて、片側に大きなガラス窓があり、こうこうとてらされていた。天井に大きな明るいライトがいくつもとりつけてある。まぶしくて直接見ようものなら、目がチカチカするほどだ。

トムはサリーのベッドを部屋の真ん中までおしていった。

「ワクワクする！」サリーが言った。

「よかった。今から始めるよ。みんな、準備はいい？」

「いいよ！」アンバーとロビンと用務係が答えた。

「まだだめ！」ジョージがなにかをごそごそやりながら答え、それから言った。

「よし。オレも準備できた」

「ロビン、音楽は選んでくれた？」トムがたずねた。

「もちろん！　音楽が始まったら、すぐスタートだ」

ロビンがプレイヤーにＣＤを入れると、ほかの子たちは手術室のそれぞれの位置についた。

音楽が始まった。すぐに、世界一有名なオペラ『トゥーランドット』のアリア『誰もねてはならぬ』だとわかった。

ミッドナイトギャングのモットーにぴったりのタイトルだ。歌はイタリア語だが、意味はこんな感じだ。

だれもねてはならぬ！
だれもねてはならぬ！
おひめさま、たとえあなたでも
冷たい寝室で
星を見るのだ…
愛と希望に打ちふるえて

まるでサリーのことを歌っているみたいだ。これからの、サリーの人生を描きだす数分間のＢＧＭとしてぴったりの壮大な曲だ。

サリーはベッドから、子どもたちが作業するさまを、目を見開いてながめた。ロビンは、

56
だれもねてはならぬ

手術室のおくでスライドのプロジェクターの横に立っていた。そして、愛するアリアが流れはじめると、プロジェクターのスイッチを入れた。ウィーンという音と共に、明かりがつく。一枚目のスライドが、サリーの目の前のかべに映しだされた。

〈卒業試験〉

サリーはクスクス笑った。

「やだ！」

トムがサリーの頭にシリアルの箱で作った四角い黒ぼうしをかぶせた。そして、丸めて赤いリボンでむすんだ紙を差しだす。サリーが〈成績証明書〉を開くと、思いつくかぎりの科目すべてに「優」がついていた。サリーは喜んで言った。

「やった！　むかしからわたしは天才だってわかってたんだから！　まだだれも、それを知らないってだけで！」

ロビンがボタンをおし、次のスライドがあらわれた。

〈初めての車〉

用務係にわたされたお皿を、トムはサリーに差しだした。黒のフェルトペンでハンドルの絵がかいてある。そこには、かの有名な高級車〈アストン・マーチン〉の名が記されていた。それから、トムと用務係は、サリーがお皿のハンドルを回すのに合わせ、ベッドをぐるぐると回した。スピード感を演出するために、むかい側からジョージがプラスチックの小さなクリスマスツリーを持って、サリーの車の横をかけぬけた。

次は**〈ファーストキス〉**。

用務係がトムに花束をわたし、サリーのほうにぐいとおした。トムは硬直して、花束をジョージに回した。ジョージもキスが大好きというわけではなかったから、花束をアンバーに回した。そこで、アンバーは自分が引き受けることにして、トムにサリーのほうへ車いすをおすように命令した。そして、サリーに花をわたすと、ほおにチュッとキスをした。

第一章が終わり、次の章に移った。

〈常夏の島のバケーション〉

用務係が二枚の四角いおぼんをとりだし、それをジョージとトムがサリーの足にひもでくくりつけた。それからサリーに持ち手のついたロープを持たせる。最初、サリーはどういうことなのか、けむにまかれたような顔をしていた。そのあいだに、ロープの反対側をアンバーの車いすに結びつける。そして、用務係が車いすをおすと、サリーはぐっと引っぱられて、足のおぼんの上に立ちあがるかっこうになった。

ウォータースキーだ！

サリーはその思いつきのすばらしさに笑い声をあげた。

56
だれもねてはならぬ

次は〈**結婚式**〉。

サリーがベッドにもどると、トムは頭にベールをかぶせてあげた。白いティッシュとティッシュの箱を使って、作ったものだ。ジョージがさっきの花束をわたすと、たちまちサリーは結婚式の日の花嫁さんみたいになった。

すると、用務係が黒いシルクハット代わりのバケツをとりだした。花婿用だ。でも、サリーと結婚するのはだれ？

用務係は、トムの頭にぼうしを乗せた。トムはそれをジョージにかぶせ、ジョージはロビンに回し、もうわたす相手のいなくなったロビンは言った。

「どういうこと？」

「結婚するってこと」ジョージが言った。

「女の子と？」

「そう！」

「それ、ありえないから！」

ロビンはぼうしをぬぐと、ジョージにわたし、ジョージはそれをアンバーにかぶせた。

「どうやらアンバーじょうちゃんと結婚することになるみたいですね」用務係は言った。

「うれしい！」サリーは答えた。

56
だれもねてはならぬ

そこで、用務係はアンバーに大きな鉄の輪っかをわたし、アンバーはそれをサリーの指にはめた。指輪は金じゃないし、大きすぎたし、どう見てもシャワーカーテンの輪っかだったけれど、サリーのほおを涙が伝い落ちた。結婚式自体は本物じゃないかもしれないけど、気持ちは本物だったから。トムとジョージはお米の入った袋を持って、新婚カップルにライスシャワーを浴びせた。用務係は照明をつけたり切ったりパチパチさせて、カメラのフラッシュを演出した。完璧な結婚写真だ。

「なにが見えるか、ぼくにも説明して！」ロビンが身を乗りだして言った。

「サリーが泣いてる」トムが言った。

「うれしくて？　それとも悲しくて？」

「うれしくてよ！」サリーが涙をふきながら言った。

ロビンはにっこりして、次の章のボタンをおした。

〈赤ちゃん〉

その言葉を見ると、サリーはクスクス笑いはじめた。いったい赤ちゃんをどこから持ってくるの？　まさか産科から「拝借」してきたりしてないわよね？　すると、ジョージが看護師のぼうしをかぶり、毛布にくるまれたものを差しだした。なにかが動いているのを感じて、サリーが毛布を開くと、中からハト博士があらわれた。外科手術用のゴムの手袋で作ったボンネットをかぶっている。ハトの顔を見て、サリーはにっこりして、そっと頭をなでた。するとハトもクウと鳴いた。

それから、ミッドナイトギャングはすぐに、サリーの人生の次の章にとりかかった。

〈仕事〉

用務係は男の子たちに、病院のキャスター付きのスクリーンを持ってくるように言った。患者さんがほかの人から見えないようにするためのついたてだ。スクリーンには、イギリスの首相官邸があるダウニング街一〇番地の絵がかいてあった。男の子たちがスクリーンをサリーのうしろに立てると、サリーはフフフと笑った。

「わかってたの、わたしは将来トップの仕事につくって！」

それから、用務係はアンバーの頭に冠をかぶせた。シリアルの箱を細く切って作ったものだ。華やかな色の紙でつつまれたチョコレートがくっつけてある。白と緑と赤のキラキラ光る紙（紫は、看護師長がぜんぶ食べてしまったので）が、それぞれダイヤモンドとエメラルドとルビーみたいに見えた。ロビンが、照明のスイッチをパチパチさせた。

カチッ！

〈孫たち〉

首相と女王陛下の会見の写真をとる、カメラのフラッシュだ。

56
だれもねてはならぬ

次のスライドにはそう書いてあった。

「早すぎ！」

サリーはわたされた六羽の小さなハトのヒナを見て、さけんだ。ちょうどかえったばかりで、タオルにくるまれている。ハト博士(はかせ)はお母さんになったのだ。そして、サリーはおばあさんに！

「六人も！」サリーがさけんだ。

「六つ子ね！」アンバーが言う。

「まさか本物の赤ちゃんじゃないよね⁉」ロビンが大声でたずねる。

「ハトのヒナよ！　すっごくかわいい！」サリーが答えた。

『誰(だれ)もねてはならぬ』が胸(むね)おどるクライマックスに入ると、ミッドナイトギャングはこれまでの小道具や衣装(いしょう)を持ってサリーのベッドをかこんだ。アンバーは冠(かんむり)をもう一度頭にかぶり、ジョージはダウニング街一〇番地のスクリーンをぐるぐる回した。用務係(ようむがかり)は六羽のヒナをサリーから受けとると、もう一度ロープを引っぱって、ウオータースキーをさせてやった。

『誰(だれ)もねてはならぬ』がどうどうたる終わりをむかえ、オペラ歌手が最後の高音を永遠(えいえん)にも思えるあいだのばして、歌いあげた。みんなが手を貸して立たせると、サリーは深々とおじぎをした。

「これこそ、わたしの人生よ！」サリーは大きな声で言った。

歓声があがった。

「おめでとう！」

トムの視界のすみになにかが映った。手術室の反対側の巨大な窓のむこうに、大勢の人たちが集まっていたのだ。いちばん前には、病院長のクエンティン・ストリラーズ卿が立ち、うしろには数十人のお医者さんや看護師さんがいて、真剣な顔でこちらを見つめている。

用務係は、トムがなにかに気をとられているのに気づいて、小声でたずねた。

「どうしたんです？」

「見て！」

用務係とアンバーとジョージとサリーが、トムの見ているほうを見ると、窓のむこうにたくさんの人たちが立っていた。

「うそだろ！　めちゃくちゃおそろしい目にあうぞ！」

57 笑わせて

奇妙な沈黙が訪れ、院長たちとトムたち、二つのグループは、手術室と観察室をわけるガラスをはさんで見つめ合った。

すると、想像もしていなかったことが起こった。

病院長のクエンティン・ストリラーズ卿が手をたたきはじめたのだ。すると、うしろにいたお医者さんや看護師さんたちもいっせいに拍手しはじめた。みんなの顔を見れば、だれもが今、目にした光景に深く心を動かされているのがわかった。

「なにが起こってるの？」ロビンがきいた。

「ぼくたち、たいへんなことにならずにすみそうだよ」

ストリラーズ卿が、お医者さんと看護師さんをしたがえて、手術室に飛びこんできた。

「すばらしかったよ！　息をのむほど美しい光景だった」

「ありがとうございます！　ほとんどはわたしが考えたんです」アンバーが答えた。

トムはジョージと用務係のほうを見て、あきれた顔をした。

「そういうことなら、おめでとうを言わなければなりませんな。いちばん感動したのはどこか、わかるかね？」

「ぼくがプロジェクターのボタンをおしたとこ？」ロビンが言った。

院長はロビンのとぼけたユーモアを解せずに、真面目に答えた。

「いいや、そうじゃないよ。きみのボタンのおし具合は、ぴか一だったがね。心の底からすばらしいと思ったのは、うちの小さな患者さんがほほえんだのを見たときだ」

そう言うと、ストリラーズ卿はぎこちなくサリーの頭をなでた。まさにそのときまで、サリーはずっとにこにこしていたけれど、ろくに知らない男の人から犬みたいに頭をなでられてちょっとむっとした。

「医師も看護師も、それどころかロード・ファント病院のスタッフ全員がなんとかして、スージーの病気を治そうと……」

「サリーです」サリーが言った。

「ほんとに？」

「ええ。わたしの名前はサリーです。まちがいありません。自分の名前は覚えてますから」

「クエンティン院長先生、先生がそちらのほうが楽なら、スージーに変えましょうか？」

ロビンが言った。

57
笑わせて

「いいや、その必要はない」

今度もまた、ロビンのジョークだとわからずに、ストリラーズ卿は答えた。

「だが、われわれができなかったのは、そう、しようとすら思わなかったのは、彼女を笑わせるということだった」

「ありがとうございます、ストリラーズ卿」

またもやアンバーが手柄をすべて独り占めして言った。

「ところで、あたしはアンバーといいます。もし大英帝国勲章に推薦する人物を探してらっしゃるなら」

「ストリラーズ卿、お知らせしなきゃいけないことがあります。今回のことはこの人がいなければ、できませんでした。あなたがクビにした用務係さんです！」

そう言って、トムは用務係をぎゅっとだきしめた。

「わかっとるわかっとる。今日一日、あの判断についてはずっとなやんでおったのだ。そもそも、彼を赤ん坊のときに引きとったのは、ファント卿ご自身なのだからな」卿は言った。

用務係はにっこりした。

「彼はここで育ったのだ。そして、何年もここで働いてきた」

「四十四年間です！」用務係は言った。

「本当か？　そういうことなら、ロード・ファント病院はきみの家と言っても言いすぎではないな。むかしからそうだったし、これからもずっとここがきみの家だ。サリーの喜びにあふれた顔を見て、きみがこの病院一のすぐれた人材だと気づいたよ。みんなにはもうしわけないが、彼は、医師と看護師が百人束になってもかなわないくらいの人材だよ」

お医者さんと看護師さんは、おもしろくなさそうにぶつぶつとつぶやいた。

「ありがとうございます、ストリラーズ卿」用務係はほこらしげに言った。

「わが病院では、子どもたちの病気やけがの治療をしてきた。だが、子どもたちの幸せのことまで手が回っていなかった。用務係どの……ええと、すまんが、お名前は？」

「わかりません。名前をつけてもらっていないんです」

「なんだと！　なぜだ？　だれだって、名前はあるだろう！」院長はぎょうてんした。

「母は、わたしが生まれた日に、わたしをすてたんです。だれも、わたしを養子にはしてくれませんでした。ですから、だれもわたしに名前をつけようと思わなかったのだと思います」

「そんなのひどい！」今度ばかりはロビンも真剣そのものでさけんだ。

「きみの名前を考えなければ。なにか、心にえがいている名前はあるかね？」

57
笑わせて

「トムという名前が好きです！」用務係は答えた。

トムは、はにかんだ笑みをうかべた。

院長が宣言した。

「トムにしよう！　そしてトム、もちろんきみには一生ここで働いてほしい。ただし、二度と空飛ぶはだかのおばあさん事件だけは起こさないと約束してくれ……」

大人のほうのトムはほほえんだ。

「努力します」

ストリラーズ卿はチョッキから鎖で下げている金時計を見て言った。

「さて、もうおそい。全員、すぐにベッドにもどってほしい」

「わかりました」子どもたちはぼそぼそと返事をした。

「看護師長に連絡して、ここまでむかえにきてもらおう」

「だめです！」

トムは思わず早すぎるタイミングで言った。看護師長がヒトデみたいに床の上に大の字になっていることを思い出したのだ。

「ぼくたちの友だちの、大人のほうのトムに連れていってもらいますから」

「なら、いきなさい。今晩はもうこれ以上、文句は聞きたくないぞ！」

大人のほうのトムはサリーのベッドをおし、四人の子どもたちを連れて、手術室を出ようとした。

「だめだ。サリーは隔離病棟にもどらなければ」ストリラーズ卿が命じた。

子どもたちはがっかりした顔をした。

「でも、いきたくありません。友だちといっしょにいたいんです」サリーは言った。

院長は目に見えてこまった顔をした。病院のお医者さんや看護師さんたちの手前、正しいことをしているところを見せなければならない。サリーは病気だ。そして、病院の義務は彼女を治療することだ。院長はまわりの人たちを見まわした。

お医者さんや看護師さんたちから、「友だちといっしょにいさせてあげましょう」「あの子を幸せにしてあげなければ」「好きなようにさせてやりましょう」といった声があがった。

「よし、いいだろう！　サリー、小児病棟にもどっていい。だが、今晩だけだぞ」

「やったあ！」手術室にいる全員が、喝采した。

「だが、すぐに消灯するんだぞ。そして、全員、きちんと睡眠をとるんだ」

「それ以外のことなんて、考えていませんよ、院長先生」

ロビンはにんまりした。

58 今夜よ、永遠に

ミッドナイトギャングが全員、小児病棟にもどったのは、夜中の三時だった。

看護師長にはいつも意地悪をされていたけれど、床の上に大の字になっているのを見て、子どもたちはちょっとうしろめたくなった。そこで、大人のほうのトムに手伝ってもらって、看護師長をベッドに移してあげた。これでよく眠れるだろう。毛布まで、ちゃんとかけてあげたんだから。大人のほうのトムは、看護師長室に仮眠をとりにいった。

看護師長が、

「グオオオオオ！　グオオオオオオ！　グオオオオオオ！」

といびきをかいている横で、ミッドナイトギャングはゲームをしたり、おかしを食べたり、いろいろな話をしたりした。ようやく興奮がおさまってくると、ジョージとロビンとアンバーはうとうとしはじめた。サリーはトムのほうを見て言った。

「ありがとう、トム。トムの夢の番をわたしにくれて。ありがとうね」

「ミッドナイトギャングなんだから、あたりまえさ。『自分よりもまず、ギャングの兄弟姉妹の求めに応じ』だからね」

「トムは、いちばんの親友よ」

「ありがとう。サリーもそろそろ眠ったほうがいいよ」

「一つききたいことがあったんだけど……」

「なに?」

「トムの夢はなんだったの? トムのかなえたい夢」

「サリーの夢と比べると、バカみたいに思えるかもしれないけど……」

「なに?」

「お母さんとお父さんに会いたいんだ」

「バカみたいじゃないよ」

「ぼく、さみしいんだ」

「お母さんとお父さんはどこにいるの?」

「遠いところ。どこかの砂漠だよ。地下室にかくれてるとき、看護師長が、お母さんたちからの電話を何度も切ったって言っててたのをきいたんだよ」

「えっ?」

「それに、校長先生はお母さんたちからの手紙を燃やしてたって」

58
今夜よ、永遠(えいえん)に

「ひどい！」

「うん。ぼく、ずっとお母さんとお父さんはぼくのことなんてどうでもいいんだと思ってた……」

「でも、そうじゃないってわかったのね」

「だといいけど。とにかく今はただ、お母さんとお父さんに会いたい」

「会えるわよ。わたしにはわかる」

サリーの目がかがやいた。それから、少したって、サリーはつけくわえた。

「今夜は最高にすてきな夜だった。人生最高の冒険(ぼうけん)だったと思う」

「よかった。とうぜんだよ。サリーは特別な女の子だもん。だけど、今夜はもうねたほうがいい」

「ねたくないの。今夜が永遠(えいえん)に続けばいいのに」

でも、無理だ。

永遠(えいえん)に続くものなど、なにひとつないのだから。

時間がとまってほしい、今が永遠(えいえん)に続いてほしい。小児病棟(びょうとう)の子どもたちみんながそう願っても、朝日はのぼり、高窓(たかまど)から光が差しこんできた。

夜は終わったのだ。

59

おしりがいたい！

夜が明けたころ、小児病棟はついに静けさにつつまれた。けれどもトムが目を閉じて、ようやく眠りにつこうとしたとき、部屋のむこうから聞きなれた声がひびいてきた。

「看護師長！　どうしてベッドにねているんだね⁉」

トムは目を開けた。

「起きなさい！　きみをねかすために給料をはらってるわけじゃないぞ！」

看護師長はもぞもぞした。

「ここはどこ？」

「ベッドの中だ！」

「うちの？」

「ちがう、病院だ！」

「あたしは病気なの？」

トムが注射した睡眠薬は、かなり強力だったにちがいない。

59
おしりがいたい！

「おしりがいたい！」

「いいや、きみは病気じゃない！　いいか、このまま無事にはすまさんぞ！」

　子どもたちも目をさましはじめた。自分たちの敵がこんなふうにしかられているのを聞いて、どうにもうれしさをかくせない。

「本当にもうしわけありません、院長」

「ごめんじゃすまされないぞ！　今すぐ、小児病棟の責任者からおりてもらう。追って通知があるまでは、トイレそうじをしてもらおう！」

「わかりました、院長」

　看護師長はベッドからはいおりると、片方のくつがぬげたまま、いたむおしりをおさえて、とぼとぼと病棟を出ていった。

　ストリラーズ卿が近づいてくるのを見て、トムはぎゅっと目をつぶって眠っているふりをした。

「起きなさい！　退院の時間だぞ！」

　それでも、トムはねているふりを続けた。小児病棟をはなれたくない。今は。ううん、これからも。けれども、腕を指でぐいとつつかれ、これ以上ねているふりをするのは無理だとさとった。

「あのひどい寄宿学校にもどりたくないんです」

トムは必死で訴えた。

「わたしはかまわんよ。むかえにきたのは、校長先生ではないからな」

「ちがうんですか？」

ほかにだれが？

「お母さんとお父さんだよ」

60 入れっぱなしのチョコアイス

小児病棟の背の高い両開きドアが勢いよく開いて、トムのお母さんとお父さんが入ってきた。

「トム！」

お母さんは両手を広げ、トムはお母さんの胸にむかって走っていった。

お母さんはトムをだきあげると、ぎゅっとだきしめた。トムのお父さんはこういう状況がとくいではなかったから、男らしく息子の背中をぽんぽんとたたくだけにとどめた。

「久しぶりだな、トム」

トムのお母さんとお父さんは、砂漠にいたために日焼けして真っ黒だったし、かっこうもロンドンよりも砂漠にぴったりの服だった。まっすぐここまでかけつけてきたのだ。

「サリーという女の子が電話をかけてきて、すぐに会いにこいって言われたの」

お母さんが言った。

「サリーが?」

「そうよ! とてもすてきなおじょうさんね。看護師長の書類かなにかで電話番号を見つけてくれたんですって。すぐにこなきゃダメって言われたわ。わたしもお父さんもあなたのことをすごく心配していたのよ」

「サリーは、あそこにいる女の子だよ!」トムは病室の反対側のベッドを指さした。

「おはようございます、チャーパーさん」サリーがあいさつをした。

「おはよう、サリーさん。ぜひ今度うちにいらしてね」お母さんが言った。

「ぼくもきてほしい」と、トム。

「ぜひ」と、サリー。

60
入れっぱなしのチョコアイス

「いまいましい看護師長とかいうやつが、何度電話をかけておまえにつなぐように言っても、切ってしまうんだ。おまえの容態が気になって気になって。クリケットのボールがあたったあと、学校の事務員が連絡してきたんだよ。百回は病院に電話したぞ。それで、頭のこぶはどうなんだ？」

「だいぶよくなったよ」トムはにっこりした。

「よかった」

「あとね、お父さんとお母さんがぼくに手紙を書いてくれてたこと、ぜんぜん知らなかったんだ」

「毎週欠かさず聖ウィレットに送っていたわよ。受けとってないの？」

「うん。一通もね」

「おかしいな」お父さんが言った。

「シューズ校長がぜんぶ燃やしてたんだよ！」

お父さんは、トムが見たことがないほどかんかんになった。

「あの男、今度会ったら……」

「マルコム、落ち着いて！」お母さんが大きな声で言った。

お父さんは何度か深呼吸して、怒りをしずめた。

「トム、二度とあのひどい学校におまえをもどさないから、安心しろ」

「やったあ！」トムはさけんだ。

「これからは三人いっしょにくらしましょう。ちゃんとした家族として」

お母さんが言った。

「どうだ、トム？」お父さんが言った。

ちょうどそのとき、トッツィが朝食のワゴンをおして、入ってきた。

「おはよう！　おはよう！　みなさん、おはよう！」

「よかった。朝ごはんを食べずにすむぞ」トムはぼそりとつぶやいた。

そして、カーテンを開けた。

「トム！　退院(たいいん)するのかい？」

「うん。すごく残念だけど、朝ごはんまでいられないんだ」

「それは本当にがっかりだね！　今日の朝は、なんだってそろってるのに！」

「もちろんわかってるよ。またいつか」

「そうかい。ああ、そういえば、おまえさんのところの校長先生を見たよ、シューズ先生だっけ」

「いつ？　どこで？」

60
入れっぱなしのチョコアイス

「今朝だよ。冷凍室のおくで」

「ええっ？」

「どうしてか、一晩、閉じこめられちまったみたいでね」

「昨日の夜、ぼくのことを冷凍室に探しにいったんだ。いやなやつ！　自業自得だよ！　で、今はどこにいるの？」

「ここさ！」

トッツィは言って、ワゴンにかけてある大きな布をさっととった。

なんとそこには、シューズ校長がブルブルふるえながら横たわってた。長いあいだ冷凍室に入れっぱなしになっていたチョコアイスみたいに、全身霜だらけになって。

「助けてくれえ」

校長はもごもごとつぶやいた。歯がガチガチ鳴っているせいで、ろくにしゃべれなかったのだ。

「先生か看護師さんのところに連れていって、解凍してもらわないとならないね」

トッツィが言った。

トムはにんまりした。

「急ぐことないよ」

61 そっとキス

看護師長室から大人のほうのトムが、足を引き引き姿をあらわした。昨日の夜の冒険のあとすっかり眠りこけていたせいで、足元がおぼつかないみたいだ。でも、病院長が小児病棟にいるのを見たとたん、完全に目がさめたようだ。

「え、ああ、えっと、おはようございます、ストリラーズ卿」

「ああ、おはよう、トムくん」

「このままわたしがここで働いてもいいというのは、まちがいありませんか？」

「いいや。残念ながら、考えが変わってね」

「でも、言ったじゃないですか――」子どものトムは言いかけた。

「まだ、話のとちゅうだぞ。こちらのトムくんが子どもたちを楽しませるのがうまいのを見て、別の仕事についてもらうことにしたんだ」

「別の？」

「そうなんだ。きみはこれから、小児病棟の責任者になってもらう。役職名は、〈ドクタ

61
そっとキス

ーお楽しみ〉だー」

「やったあ！」子どもたちは歓声をあげた。

「ありがとうございます、ストリラーズ卿。とてもうれしいです！」

大人のほうのトムは言った。

トムは両親のところから、友だちのところへかけよった。そして、新〈ドクターお楽しみ〉の腰にだきついた。

「よかったね！」

「ありがとう！」

ほかの子どもたちも大人のほうのトムにかけよって、だきついた。アンバーもなんとか折れた腕を腰に回した。

「だが、これからは、病院の地下室で寝泊まりしてもらってはこまる」

「わかりました、ストリラーズ卿。もうしわけありませんでした」

大人のほうのトムは言った。

トッツィがやってきた。

「どこかねる場所がいるんなら、いつだってあたしのソファを使っていいよ」

「本当に？」

「もちろん！」

「親切にありがとう。これまで一度も、ちゃんとしたうちを持てたことがないんだ」

「無料の朝食付きだよ！」

「ふだんは朝食は食べないんだ」大人のほうのトムはうそをついた。

「だけど、ソファを使わせてくれるのは、本当にありがたいよ。ありがとう」

クエンティン・ストリラーズ卿がトムにむかって言った。

「きみがここに入院してから、ずいぶんいろんなことが変わったよ。いいほうにね。きみがわがロード・ファント病院にきてくれたことに、心からお礼を言わなければな、ティムくん」

「トムです」

61
そっとキス

「本当に？」

「ええ、まちがいありません。そして、ありがとうございます」

「そろそろ本当にいかないとな！」トムのお父さんが声をかけた。

「ちょっとまって、お父さん。友だちにさようならを言いたいんだ」

トムは最初にサリーのところへいった。

「これで、トムの夢もかなったわね。わたしがなんて言ったか、覚えてる？」

トムはにっこりした。

「ぜんぶサリーのおかげだよ」

そして、みんなのほうを見た。

「みんなと会えなくなるのが、本当にさみしいよ」

すると、ジョージが言った。

「オレたちもだよ。まあ、いいほうに考えりゃサ、もうチョコレートをトムにあげなくていいから、オレのとり分が増えるけどな」

「トムがぬけたら、ミッドナイトギャングも変わっちゃうわね」アンバーが言った。

「退院しなくてすめばいいのに」サリーも言った。

トムはサリーの毛のない頭のてっぺんにそっとキスをした。

「ごめん、でも、いかなきゃ」

「また病院まで会いにきてくれる？」

「うん」

「約束？」

「約束するよ。今度はぜったいにやぶらない」

二人はにっこりした。

「ぼくもずっと忘れないよ。えっと、きみの名前はなんだったっけ？」と、ロビン。

「ハッハッハ！」

みんなは笑った。

「じゃあね、ギャングのみんな！　毎晩、真夜中にみんなのことを考えるよ。どこにいようと、なにをしていようとね。夢の中で会おう。そして、最高にすごい冒険をしようね」

トムは両開きドアにむかって歩いていった。そして、お父さんとお母さんの手をとると、ぎゅっとにぎりしめた。こうしてまた家族になれたのだから、二度とはなれたくなかったのだ。

トムは最後にもう一度、友だちのほうをふりかえってから、ドアのむこうに姿を消した。

エピローグ

しばらくして、小児病棟のドアがふたたび開いた。そして、指にほうたいをまいたパジヤマ姿の男が入ってきた。

「苦情がある！」

ラジはかんかんだった。

「え？」と、ジョージ。

「出前をまだ受けとってないぞ！」

「え、でも――？」

「もう一度、注文をくりかえすからな。ポパダムだろ……」

デイヴィッド・ウォリアムズ 作
David Walliams

1971年イングランド生れ。ブリストル大学卒業（演劇専攻）。国立青少年劇場で出会ったマット・ルーカスとともに脚本執筆・主演したBBCのコメディ番組『リトル・ブリテン』で一躍スターダムに。コメディアン・俳優業のかたわら、2008年から児童書創作作品を発表。児童文学作家としても活躍する。ロアルド・ダールに大きな影響を受けている。

三辺律子 訳
さんべ りつこ

英米文学翻訳家。訳書に、「マジカル・チャイルド」シリーズ（小峰書店）、『ジャングル・ブック』（岩波書店）、『おいでフレック、ぼくのところに』（偕成社）、『世界を7で数えたら』、『おじいちゃんの大脱走』（共に小学館）など多数。共著に『12歳からの読書案内　海外作品』など。

平澤朋子 絵
ひらさわ ともこ

1982年生まれ。2005年武蔵野美術大学視覚伝達デザイン学科卒業。フリーランスのイラストレーターとして児童書の挿絵や装画、雑誌、広告 など様々な媒体で活動。装画、挿画を手がけた主な児童書に、『緑の模様画』『ニルスが出会った物語』シリーズ（以上福音館書店）、『竹取物語』（偕成社）、『ねこじゃら商店　世界一のプレゼント』（ポプラ社）、『世界の果ての魔女学校』（講談社）、『ならの木のみた夢』（アリス館）など多数。

ミッドナイトギャングの世界へようこそ

2020年11月23日　初版第1刷発行

作　デイヴィッド・ウォリアムズ
訳　三辺律子
絵　平澤朋子

発行者　野村敦司
発行所　株式会社小学館
〒101-8001
東京都千代田区一ツ橋2-3-1
電話　編集　03-3230-5416
　　　販売　03-5281-3555

印刷所　萩原印刷株式会社
製本所　株式会社若林製本工場

Printed in Japan
ISBN978-4-09-290624-2

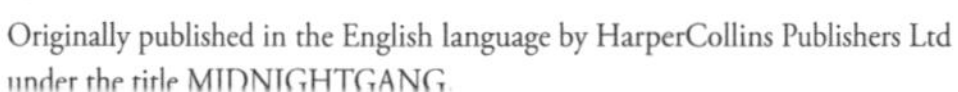

MIDNIGHT GANG
By David Walliams

Originally published in the English language by HarperCollins Publishers Ltd
under the title MIDNIGHTGANG.

This edition published by arrangement with HarperCollins Publishers Ltd, London through Tuttle-Mori Agency, Inc., Tokyo

ブックデザイン／岡 孝治＋森 繭
制作／友原健太　資材／斉藤陽子　販売／窪 康男　宣伝／綾部千恵
編集／喜入今日子